Voe comigo ou devolva minhas asas

DANIEL DAARTE

Voe comigo ou devolva minhas asas

Companhia
Editora Nacional

Diretor-presidente: Jorge Yunes
Diretora editorial: Soraia Luana Reis
Edição: Chiara Mikalauskas Provenza
Revisão: Valéria B. Sanalios
Coordenação de arte: Juliana Ida
Ilustrações: Daniel Daarte
Ilustrações complementares: © Shutterstock: suns07butterfly; Vladimirkarp; Very_Very; nutriaaa; antart; Singleline; illusign; nataliafrei; one line man; Kaidash; luchioly; Vik Y; Malchev; Barashkova Natalia; Cincinart; Nativalia; Divine Studios; Manekina Serafima; Levskaia Kseniia; studiostoks; mimomy; Alexander_P; Melazerg; Gorbash Varvara; Crisan Rosu; Anna Ismagilova; lioriki; Sazykina Olga; Ma Di; RRA79; Connie123; str33t cat; makar; Podessto; melazerg; Chipmunk131; MPetrovskaya; Olga Bolbot; PinkPueblo; Yevgen Kravchenko; Elena Naumchenkova; Valenty; Anastasia Maizena; CloudyStock; Ira Cvetnaya; Gondex; piks; 1001holiday; Shafran; Anna Ismagilova; art of line; Pavlo S; Vectorgoods studio; Triff; Rana Des; @freepik: starline.

1ª edição - São Paulo

CIP-BRASIL. CATALOGAÇÃO NA PUBLICAÇÃO
SINDICATO NACIONAL DOS EDITORES DE LIVROS, RJ

D11v

Daarte, Daniel
Voe comigo ou devolva minhas asas / texto e ilustração Daniel Daarte. - 1. ed. - Barueri [SP]: Companhia Editora Nacional, 2019.
200 p. : il. ; 21 cm.

ISBN 978-85-04-02112-7

1. Poesia brasileira. I. Título.

19-56945 CDD: 869.1
CDU: 82-1(81)

Vanessa Mafra Xavier Salgado - Bibliotecária - CRB-7/6644

10/05/2019 10/05/2019

Companhia Editora Nacional

ABDR
EDITORA AFILIADA

Rua Gomes de Carvalho, 1306, 11º andar, conjunto 112 – Vila Olímpia
São Paulo – SP – 04547-005 – Brasil – Tel.: (11) 2799-7799
www.editoranacional.com.br – marketing.nacional@ibep-nacional.com.br

Para minha mãe, que me fez poeta
Para meu pai (*in memoriam*), que me fez poesia
Para o poeta Carlinhos Pink

E, é claro, para a musa

Este livro é a história da relação entre o poeta e a musa.
O capítulo I (Paixão) é o início do relacionamento.

Algumas poesias são o ponto de vista do poeta e
outras o ponto de vista da musa.

Eles dialogam por entre versos...

Sumário

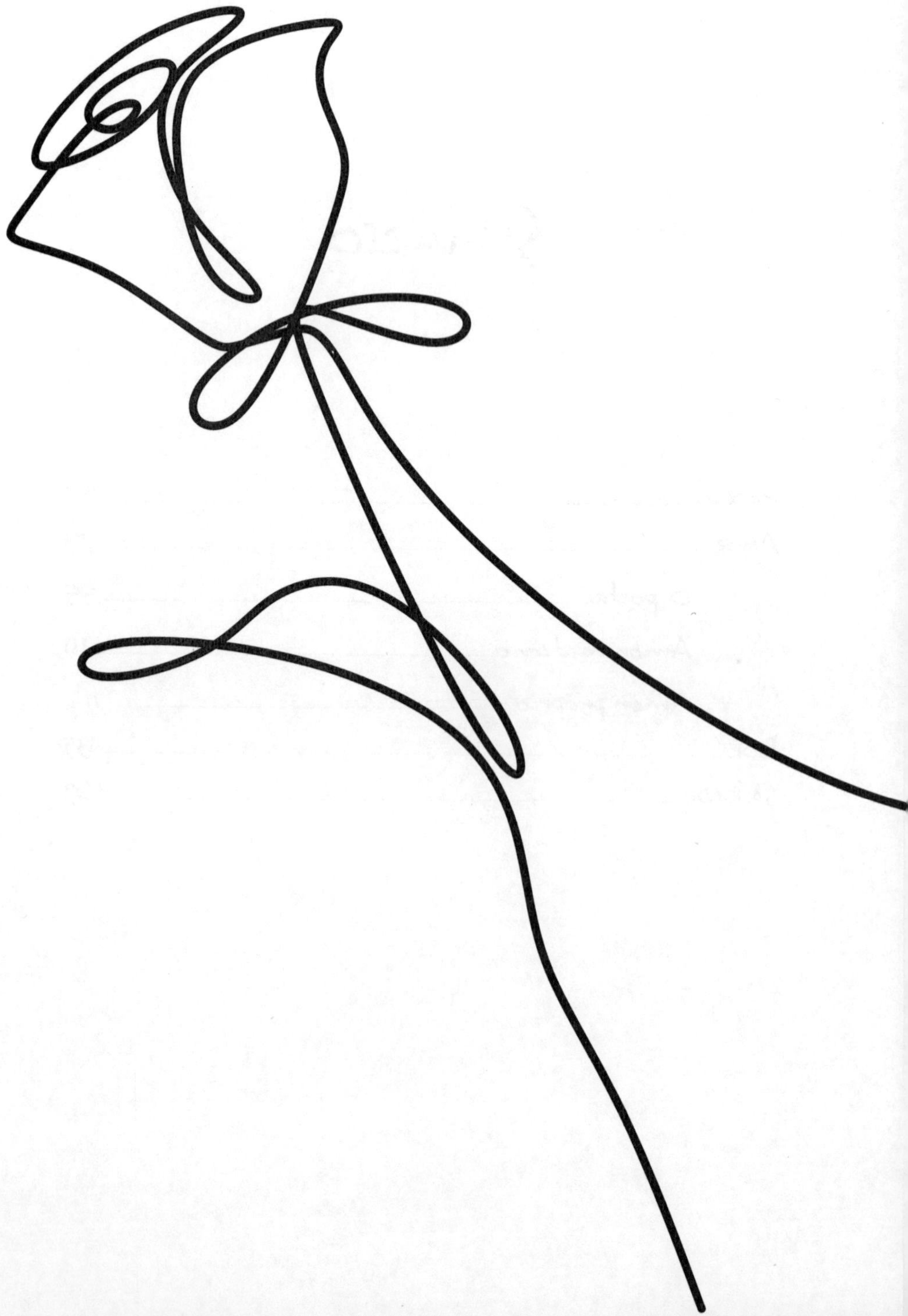

Paixão

O poeta e a musa se apaixonam

Eu disse: — Muito prazer
Ela respondeu com os olhos

Falei qualquer coisa
de improviso

Ainda estava hipnotizado
por aquele sorriso

quando ela me pegou pela mão:
— Vem conhecer minha estante
de livro

Apaixonei

NERUDA
ECLOSÃO

CONTE-ME

O prazer é todo meu
o café está ótimo
a companhia também

Conte-me de você

mas não o currículo
ou a biografia

Pulemos as formalidades
vamos direto para as entrelinhas

Conte-me:
— Pelo o que teu coração palpita?
— Qual o motivo do brilho dos teus olhos?

Temos a noite inteira

e, talvez,
duas vidas

INTIMIDADE

Logo no primeiro encontro
era tanta a liberdade

sem máscaras, filtros
ou falsidade

que foi difícil entender
a origem de tanta intimidade

No silêncio então
me senti incrivelmente
à vontade

Nossos olhos com certeza já se conheciam

e estavam apenas
apresentando o resto do corpo
um para o outro

Lembro exatamente
do momento
em que fui tocada por ti

Não estou falando de corpo
Fui tocada onde mãos
não alcançam

no instante em que o brilho
dos teus olhos mudou
e combinou com o dos meus

O BRILHO

NATURALIDADE

Você já visitou um lugar
e, por mais que nunca
tenha estado ali,

sentiu que
exatamente ali
era o seu lar?

Como se a origem da alma
não batesse com a do corpo

e a certidão de nascimento
fosse só um papel bobo,
fácil de rasgar

Senti isso
ao te abraçar

AMO

Amo cada detalhe do teu rosto
teu sotaque
Teus silêncios
teu suspirar

Tua camisa
o cheiro dela

Amo teu dormir
teu olhar
Teus cílios
e o piscar

Amo teus passos
teu jeito de parar
Teu modo engraçado
de espirrar

E, acima de tudo,
amo a possibilidade
de tudo isso

ser
recíproco

Amo o teu (e o meu) amar

FRENTE E VERSO

Amei a poesia
que és tu

olhos que rimam com os lábios

alma na pele impressa
em tons diversos

Fui ler só as primeiras linhas
mas acabei completamente imerso

muito além do que a frente
apaixonei-me

por teu verso

AMPULHETA

Quero você

não quero outra coisa
apenas sua presença

Não preciso de palavras bonitas
não preciso de presentes
não precisa poesia
não precisa me conquistar
Já fui conquistada!
Eu quero você

Não quero promessas
nem sedução
nem jogo
não fale na noite passada
quero você

Não traga medalhas
nem títulos
nem honras...
Só traga seu cheiro
Eu quero você

e quero hoje!

não pode ser amanhã
nem ontem

sua barba
cabelos
lábios

Quero você

O sol está se pondo
viro a ampulheta!
Minha vida permeando a areia

Seu tempo se esgotando
meu tempo se esgotando

Não ouse desobedecer
não ouse adoecer

Não há plano B!
só há você!

GENUÍNO

A autenticidade de um sorriso
é atestada pelos olhos

É como se o cantinho do olho
puxasse pra cima
o cantinho dos lábios

O sorriso verdadeiro
não abre portas

derruba muros

CÓPIA

Como uma criança
que copia os traços
do professor

escrevo poesia
copiando os traços
do criador

E ele foi mais poeta
do que nunca
quando os traços
do teu rosto
desenhou

O SEGUNDO

Eu lembro de cada detalhe
Todos os detalhes!
Tudo
Sem brincadeira

Você se aproximando
Minha retina foi golpeada
pela sua imagem
Que golpe forte!
Emudeci

Lembro da respiração,
do olhar,
do cheiro,
do silêncio

Então
você chegou mais perto
e fechou seus olhos

Eu também fechei os meus
mas sabe de uma coisa?
Fechei eles um segundo
somente um segundo
depois de você

Ahhhhh
Esse segundo não pertence ao relógio
não pertence ao tempo
não pertence a nenhum minuto
nenhum dia! Nenhum ano

Este segundo está congelado,
eternizado na minha memória

Tivera eu mil vidas
e eu não entenderia o que se passou
naquele instante

Hoje estou aqui,
olhando para o calendário
para as horas
Onde está você, segundo mágico?

Este segundo não está no passado
não está no futuro

Ele está aqui comigo
no presente
sempre no presente

Esse foi o segundo
que antecedeu
nosso primeiro beijo

AO POETA

Poeta,
tuas palavras me fazem viajar
não dá para negar

Mas agora quero ver
se na hora do prazer

tuas mãos são tão boas
para no meu corpo passear

como são para escrever

INSPIRADOS

Fizemos poesia a noite inteira
com nossos corpos

movimentos rítmicos e rimados

Um poema tão lindo
que nossas almas saíram

voaram
dançaram
se embriagaram
Caíram exaustas
e repletas de si mesmas

Nossos olhos falavam a mesma língua
pois os lábios não se abriam
não era preciso

Nunca me senti tão confortável
em silêncio

Dormimos

O sonho estava apenas começando

APROXIMAÇÃO

Tuas mãos percorrem minhas costas
e consigo sentir na pele
a poesia sendo escrita

Teus abraços se cruzam
fazendo-me aproximar
ainda mais de ti

aproximação que não é física

Meu cheiro do teu
já não se diferencia

Distância entre os corpos
já não havia

é uma aproximação que faz
minha alma encarar a tua

NUDES

Ao despir alguém
você encontra um corpo nu
Ao abrir um livro
você encontra uma mente nua

Poesias são nudes da alma

Eu me interesso pelo o que você pensa
Sem roupas! Sem censura!

Manda nudes?

LICENÇA POÉTICA

O amor como na poesia
não é real

Seria o poeta um louco
mentiroso
ou em nome da licença poética
desleal?

Se não posso te amar
como mandam
os mais lindos versos

que eu te tenha então
ao alcance das mãos

palpável
carne, pele e osso

Teus olhos famintos

volume, contornos
mucosas
movimentos, suores

Meu orvalho
escorrendo
nas pétalas
dos teus seios

Teus olhos exaustos

boca, língua, lábios
gosto que me excita
e que fica

impregnado na alma
tatuagem sem tinta

Sendo a separação tardia, pela morte,
ou logo no primeiro
nascer do sol, precoce

cruzamos nossas vidas
na jornada finita

E por que não chamar
o encontro das carnes
nuas e cruas,
mesmo que único,

de poesia?

APENAS

Indecência
é você me penetrar
usando apenas
o seu olhar

DESEJO

Derrama essa noite
teus olhos nos meus
tua boca na minha

Penetra teu desejo em meu corpo
e traga a eternidade
na intensidade
de um segundo

Em teu olhar mil placas
me confundem os sentidos e a direção

Minha alma quer te dirigir
mas e se eu atropelar meu coração?

Só tua boca é capaz
de me expulsar
do paraíso e para ele
me levar

te Beijar
é olhar
para uma
placa de contramão

e acelerar

Nada do que acontecia ali
naquele instante
foi por acaso

Lembro do caminhar dos meus dedos
por entre teus seios

dos teus olhos suplicando
para que eu me abrisse

dos lábios

e do momento em que sexo
transformou-se em amor

ÁTIMO

BEIJA-ME

Beija-me
como se em uma gota
coubessem as lágrimas do mundo

passado e futuro congelados
no intervalo de um segundo

e o amor fosse o único motivo
de estarmos vivos
e juntos

de todos os vícios, a tua boca,
é o mais perigoso
e profundo

ORGASMO

Estava dentro de você
e teu tremor me sacudiu

Fui aquecido por um calor

de mil estrelas em combustão

Violenta e prazerosa convulsão de prazer

Mesmo com olhos e lábios fechados
tu sorrias

e no fim
quem entrou em mim
foi você

Teus olhos me penetraram
e me fizeram voltar ao passado

em busca de um momento perdido
e enigmático

Um filme da minha vida correu rápido
e ao contrário

da idosa que encara a morte
da mulher madura segura do seu norte

da adolescente que transbordava amor
no segundo imediato de ter o peito
pela primeira vez transfixado

As pernas desengonçadas
Coração virgem

Teus olhos me penetraram
me esculpiram por dentro

lançaram luz sobre meu segredo
árduamente ocultado

CINEMATÓGRAFO

TRIUNFO

Escreve a poesia do teu sorriso nos meus olhos

até eu me esquecer das dores
do meu passado

Deixa-me, pela tua simpatia,
completamente embriagado

como a lua triunfante
que não tem vergonha de sua história
ou dos seus impactos

e exibe, orgulhosa e bela,
todas as suas crateras

PERDIDA

Essa noite quero me perder
mas não de ti

em ti

sem guia ou direção

Amanhã vejo o que faço
amanhã eu me acho

ou não

Perdida eu poderia ficar
para sempre
nas tuas mãos

Todo vício é mortal
e a tua boca não é diferente

mas correr perigo
é consequência
de ter nascido

e não ter teus lábios
é a morte
que não preciso

Teu sorriso seguido por um beijo
é capaz de tirar o planeta do eixo

Imagine o que não faz com a órbita
desse coração dentro do meu peito

H.EART.H

PERIGO

Não existe nenhum precipício
mais perigoso
do que teus olhos

Não existe nenhum abismo
mais profundo
do que teu interior

Mas não meço minhas atitudes
pelo risco de morrer

Pulei em teu olhar
porque meço meus atos
pelo risco
de não viver

IMPETUOSO

Com teus olhos ao alcance dos meus
e tua boca ao alcance da minha

por um segundo

consigo escutar sons
que de outra forma
são inaudíveis

Todos os detalhes da tua íris são um vulcão em erupção
e pequenos movimentos da tua língua viram
terremotos

Escuto tua alma murmurar e um coração que grita
O tempo congela
a própria noção de tempo perde o sentido

Passado e futuro se beijam
Vida e morte fazem as pazes
O efêmero abraça o infinito

Sou capaz de lembrar
de todas as estrelas que vi em teus olhos
no segundo antes
de você me beijar

E quando nossos lábios se encontram
ahh
isso é assunto
para outra poesia

VITRINE

Quem realmente se interessa por mim
me encara nos olhos

Ao se hipnotizar
por qualquer parte minha
e evitar o meu olhar
você apenas me deseja
como um item na vitrine
para comprar

O corpo te atrai
e a essência te assusta?

Por que esse medo?

Meus olhos falam mais
ao meu respeito

do que o resto
do corpo inteiro

VENHA

Por mais que eu me toque
de olhos fechados
nada se compara ao teu

ao teu toque

que transborda de mim
um oceano
tão profundo quanto
meu desejo mais oculto

Faz o pássaro que habita
minhas entranhas alçar voo

insatisfeito com a imensidão do céu
esta ave mergulha
a toda velocidade
na profundidade do mar

e se posso dentro da água voar
do meu prazer
por que eu iria me satisfazer
com algo menor que o Atlântico
para me molhar?

Venha

sem metades, gotas
sobras, raspas
ou migalhas

Não aceito qualquer coisa menos
do que você

de corpo e alma
aqui e agora

por inteiro

LUAU

Minha boca diz não
mas meus olhos suplicam
por você

Desejo arder em seus braços
mas tenho medo de virar cinzas

ao amanhecer

ATENÇÃO

Nunca olhe diretamente
para o sol ou para os olhos
dela sem proteção

Ele roubará sua visão

ela,
o coração

INCOERÊNCIA

Não sei se sou especialmente confusa

mas gostar de alguém para mim
é complicado desde o início

sentimentos simples não existem
sinto tudo ao mesmo tempo
complexo, contraditório
e misturado

Odeio na mesma intensidade que amo

Preciso estar distante
e quase no mesmo instante
não suporto qualquer afastamento

e quando falo em distância
refiro-me à do corpo e à da alma

Tantos pedaços de mim
por aí
espalhados

Não estou aqui
o espelho mente

Estou
por todos os lados

PAPEL AMASSADO

Em meu peito papel amassado
onde antes um coração batia

Nas veias não mais se diferencia
o que é sangue do que é tinta

Vejo o sol de madrugada
e a lua em pleno meio-dia

Olhar nos teus olhos
é o que me inspira

e tua alma é tão bonita
que meu lápis
treme
ao te transformar em poesia

PLÁGIO

Tudo que escrevo é plágio

li em teus olhos
e roubei
dos teus lábios

TE TRAGO

Não te trago palavras
trago silêncios

trago o nada
todo o nada que pode existir
no universo

trago olhos
olhares
pele, poros
e cheiro

trago tudo
que no nada há

a selvageria dos ponteiros do relógio
a areia das décadas

te trago o grito
que não eclodiu
que ainda não transfixou o peito

Te trago a simples intenção de som
a ideia de som na mente
a promessa de ruptura do fio que se aproxima da navalha

o silêncio de um coração que se prepara
para o próximo pulsar

a expectativa, esperança e incerteza
de que haverá
mais um pulsar

te trago

como quem absorve
aceita
aspira e inala

a própria sina
o próprio destino

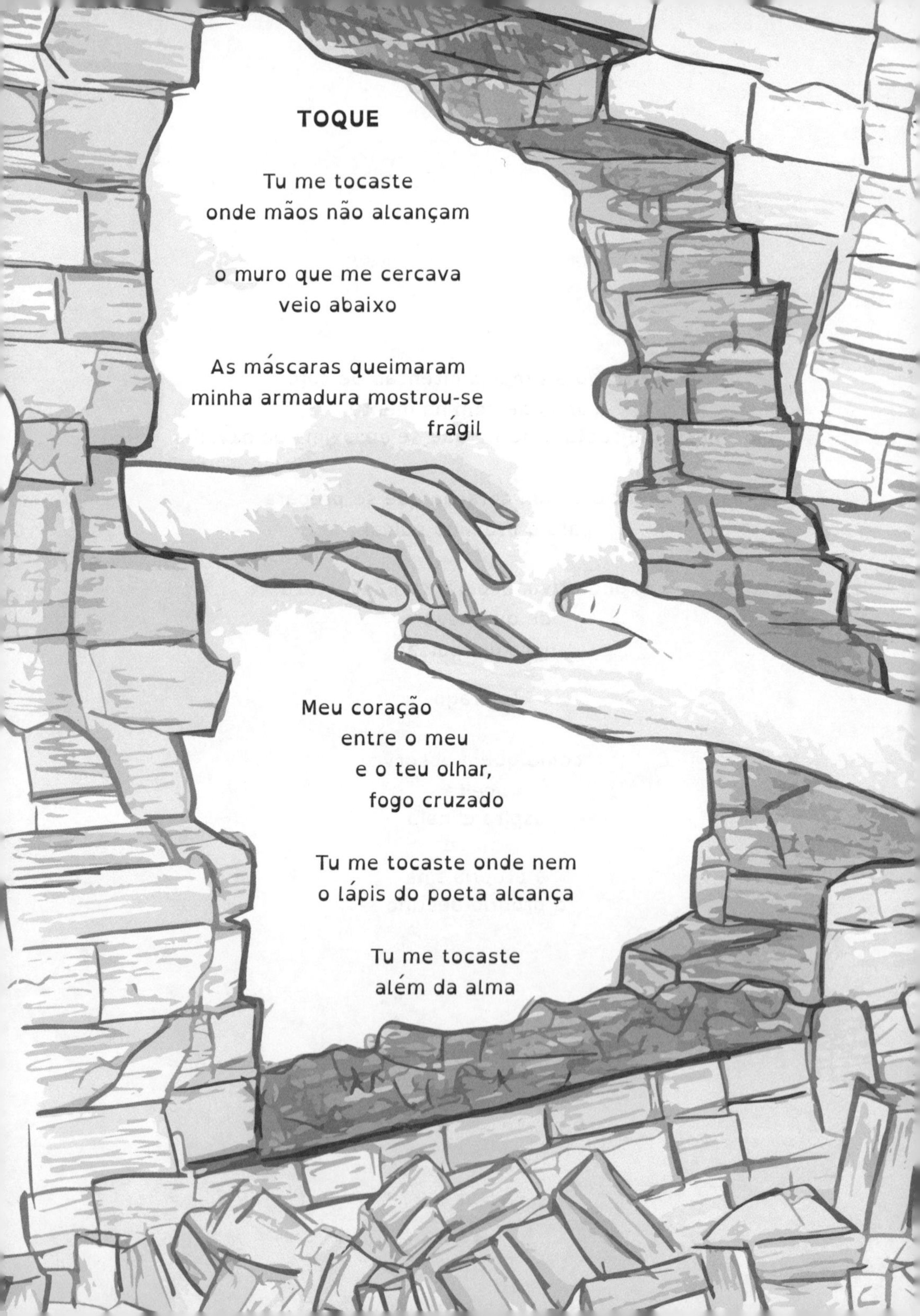

TOQUE

Tu me tocaste
onde mãos não alcançam

o muro que me cercava
veio abaixo

As máscaras queimaram
minha armadura mostrou-se
frágil

Meu coração
entre o meu
e o teu olhar,
fogo cruzado

Tu me tocaste onde nem
o lápis do poeta alcança

Tu me tocaste
além da alma

INSANO

Até entendo a importância
de uma vida equilibrada

mas não funciono assim

Constantemente ultrapasso os limites

saio voando, caio
gargalho
entro em desespero
inundo minha boca
com o mais forte tempero

cuspo tudo

rasgo-me
costuro

tudo queima
é insano

Mas é minha natureza
sinto-me vivo e humano

Ela é dessas apaixonadas
por ideias e pessoas que se entregam
sem medo do amanhã

Compartilha o devaneio com os olhos
e faz pulsar seu próprio sonho
em vários corações

DEVANEIO

COM UMA POESIA

É tão cedo, o sol nem nasceu
você ir embora assim
está errado

Fique aqui comigo
que crio diferentes destinos
para estar ao seu lado

rasgo as cartas do baralho
embaralho no céu todos os astros

embaço a bola de cristal
os signos refaço

removo as linhas da tua mão
e a tatuagem do braço

calo os xamãs, poetas
escribas e profetas

Continua...

Continua...

faço da dor, poesia
quebro, dos sumérios, as tábuas de argila

viro a mão do trânsito ao contrário
derrubo ou desvio as placas da rua
pro lado

de cabeça pra baixo penduro o calendário
segunda
será sábado

o relógio vai andar pro passado
qualquer previsão
que me distancie de você, apago

Você vai me deixar te amar
ou terei que com uma poesia
as portas do teu coração arrombar?

AURORA

Mais do que dormir contigo
quero acordar antes de ti

para assistir

ao nascer do sol
em teus olhos

OBRA DE ARTE

Sabe o que me enlouquece?
A maneira como você conduz
meu corpo

O início com o olhar
suas mãos despindo-me

Admiro seus gestos
dedos
lábios

a cadência
a aceleração intercalada
com uma suavidade tão gentil

Você já imaginou
o que sente uma tela em branco encarando o pintor?
O que sente um papel em branco na mesa de um poeta?
O que sente uma pedra bruta prestes a ser esculpida?

Sou obra de arte inacabada
esperando por suas mãos

O NOSSO BEIJO

Meu coração já ficava acelerado
antes mesmo de tocar seus lábios

O tempo e o silêncio parados
de braços dados
com inveja
dos nossos corpos colados

O relógio girava ao contrário
a lua orbitava ao lado

Subíamos aos céus

e exatamente por não ter medo de altura

meus olhos permaneciam
fechados

SEGREDO

Hoje minha conversa
é com os teus outros lábios

Conversa bem íntima
rara e sincera
Sinto-me privilegiado

O teu corpo inteiro se contorce de curiosidade
pelo sussurrado

Mas segredo é segredo

podes gritar, gemer e me insultar

Nem a ti
revelarei o que li, escutei e senti
lá embaixo

Hoje eu só queria sentir
tua respiração

teus lábios
em meus seios

o respirar escorrendo quente
como lava de um vulcão

do mamilo ao pescoço

corpo inteiro se contorcendo
em alvoroço
por causa do teu beijo

MAGMA

É REAL?

É real?

Teus cílios me convidando
para entrar
no palácio
dos teus olhos
onde sonhos
possuem aroma
e nunca terminam

Teus lábios acenando para eu
entrar
em tua boca
em busca dos meus desejos
mais mundanos
(e humanos)

Meu corpo te deseja
com tanta força

que nem minha alma ousa

se opor

DE QUATRO

Gosto do pulsar quente do falo
quando estou no ato
de quatro

deixando vermelhas de vergonha
as quatro paredes
do quarto

Não vejo teu rosto
mas sinto teu corpo

e o que realmente me deixa louca

é imaginar tua língua
dançando de prazer

no céu
da tua boca

INFINDÁVEL

Estou ansioso por tua chegada
estou ansioso para te amar

quero ver esse amor recíproco
refletido no teu olhar

Preciso fazer do teu, o meu calor

e durante o prazer supremo
gozaremos ao mesmo tempo
Arrancarrei dos teus lábios o veneno

com a sabedoria dos amantes
que encaram a eternidade
com frágeis corpos temporários

mas também com raras almas
e por isso
nunca pequenos

HUMANOS

Sabe onde gosto de mergulhar?
Em seres humanos

É perigoso, eu sei
quase insano

Muitos são poças d´água
e pular causa danos

mas só me jogando
profundamente
poderei encontrar,
com um pouco de sorte,

oceanos

PORTAL

Teu olhar me desafia
e me excita

Quero provar que sou bem mais interessante
do que tu imaginas

mas teu olhar me domina a ponto de esquecer objetivos e metas

Teu olhar me faz escutar a pulsação do meu peito
me faz sentir mais viva do que nunca
me lembra da morte que se aproxima

Preciso urgentemente mergulhar
no teu interior através do portal
do teu olhar

e quem sabe lá no fundo
e distante do resto do mundo

eu possa me encontrar

Escrevo porque imagino
em teu rosto
sorrisos

DESÍGNIO

CHEIRO

Não foi o mais gentil
nem o mais inteligente

O mais bonito?
Também não
Tampouco o mais bem-sucedido
Apenas veio

pegou-me pela mão
Pensei por um segundo em resistir
Que tola eu
foi impossível
o corpo entregou-se
a alma foi junto

Era miragem?
Destino?
Magia?

Mistério

De tanto procurar um motivo
Desisti
Não sei a explicação

Por alguma razão
(que desconheço)

loucura da alma
ou devaneio de um espírito
não paro de pensar nele

Seu cheiro
ficou em mim

e não sai

não sai

INTERIOR

Algo saiu de dentro de ti
de uma profundidade muito além da pele
e explodiu na minha retina

sacudindo todos os meus sentidos

Um gesto teu fez-me ver o interior
viajei pela essência do teu ser
e pude perceber

o quão belo tu eras

Foi nesse exato momento que a paixão
rasgou violentamente
meu coração

EXPECTATIVA

Arranque da minha cara
esta máscara
que tu mesma
colaste em meu rosto

Arranque e veja por trás
a humanidade imperfeita
que vaza pelos meus poros
para o teu desgosto

Arranque e entenda
que não sou perfeito
e nem fui feito sob medida
para o teu gosto

Conheça logo as virtudes
e defeitos dos quais
o meu ser
é composto

Arranque logo

pois se demorar muito
sairá a pele junto

e por culpa tua
parecerei

horroroso

LOUCA

Se antes essa música
era bonita

agora é difícil explicar
o que ela
significa

me lembra você

dos momentos
que vivemos juntos
teu cheiro
olhar

Quando ela toca
sinto
teu toque

fecho os olhos
meus lábios quase se separam
tamanha é a vontade
de sorrir

Posso estar em meio a uma multidão
e mesmo assim
permito-me te sentir

Devem me julgar louca

estão certos

é por ti

GOTAS

Preciso encontrar as palavras
dentro da tua boca

Já as procurei pelo meu corpo inteiro
estou quase ficando louca

E com os lábios entreabertos
no meio caminho
entre a floresta e o deserto

gotas de sorriso
cairão das pétalas

no espinho

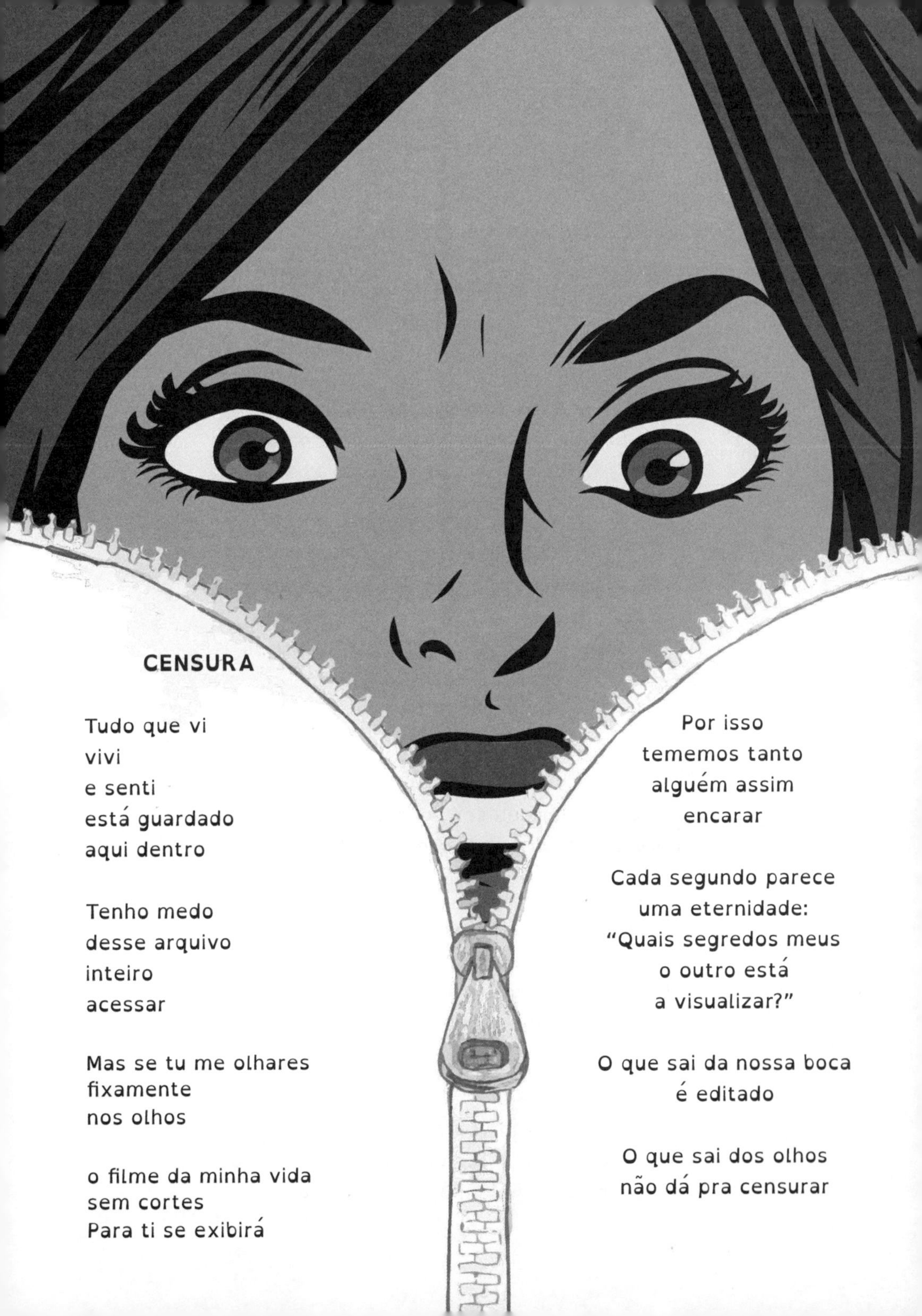

CENSURA

Tudo que vi
vivi
e senti
está guardado
aqui dentro

Tenho medo
desse arquivo
inteiro
acessar

Mas se tu me olhares
fixamente
nos olhos

o filme da minha vida
sem cortes
Para ti se exibirá

Por isso
tememos tanto
alguém assim
encarar

Cada segundo parece
uma eternidade:
"Quais segredos meus
o outro está
a visualizar?"

O que sai da nossa boca
é editado

O que sai dos olhos
não dá pra censurar

NUA POESIA

Nua
Quero você nua
Quero crua
Sem máscaras
Verdadeira
Poesia

Cada pedaço do seu corpo é uma letra
Cada movimento seu forma uma palavra
Sua respiração é melodia

Quero apreciar você
Que honra a minha
Ver cada vogal percorrendo suas curvas
Sem direção certa... formando palavras
Mas são palavras estranhas e confusas
Ou o confuso sou eu?
Eu que não aprendi esse raro idioma

Do seu corpo

Quem dera eu ser poliglota ou sábio
para conseguir decifrar esse alfabeto que a
compõe

Só vejo fragmentos... Que frustrante!
Palavras perdidas
Não consigo entender seu corpo
Não falo essa língua!

Labirinto

Não vou desistir
As palavras errantes um dia farão sentido
E eu serei parte desta poesia

Se tu pudesses ver
e tocar a ti mesma
com meus olhos e mãos,
tu entenderias

que é possível
sentir e tocar a lua
sob o sol
do meio-dia

TRANSMUTAÇÃO

ESTIMA

Gosto do teu sorriso

mas não parado, estático
de um passado morto e congelado
como são as fotografias

Gosto dele vivo
na minha frente

os lábios se separam
desabrochando devagarinho

Os olhos,
em reverência a tal espetáculo,
cedem espaço na pintura do teu rosto,
e ficam pequeninos

A boca torna-se grande,
brilhante,
Iluminando tudo ao redor

incluindo minha vida
meu destino

Ahh se tu soubesses quantos sorrisos já dei
por causa do teu

NUA

Outras mãos poderiam despir
meu corpo

mas só as tuas

me deixam a alma nua

NEM QUE SEJA

Vem me ver
nem que seja pela última vez

Não sei me construir
sou um rasgo de mim mesmo
engulo o choro
como o solo engole a tempestade

Meus sorrisos são lágrimas ao avesso

e as lágrimas são os sorrisos
que saíram pelos olhos
vindos do peito

minha fenda é profunda
sou a própria fenda

Sozinho dentro de mim
teu olhar está aqui

Sou um pedaço que ainda sonha
reencontrar-me com o todo
que já fui um dia

ou pelo menos a ilusão de todo
que eu tinha

Vem me ver

como se não houvesse pecado
transgressão
nem necessidade de perdão

como se fosse possível criar
do instante, a eternidade
como se a morte fosse só
um detalhe

Vem me ver
nem que seja pela última vez

Amor

O poeta e a musa se amam

MANDA NUDES?

dos olhos
do sorriso
do coração

Olhos sem julgamento
Sorriso sem falsidade
Coração sem armadura

Quero tua alma
Nua

O silêncio só é
ausência de palavras
quando os olhos não falam

O olhar é capaz de se comunicar
mais profundamente do que os lábios

daí o silêncio se instala
apenas porque palavras

são desnecessárias

RETICÊNCIAS

VISLUMBRE

Como posso te contar
se os lábios não se abrem

Só os olhos denunciam
por qual motivo
o coração bate

O peito afogado em sentir
as pernas não obedecem

O que sinto por ti
é o velho sentimento
que nunca envelhece

tão cantado por aí
aos quatro ventos
e nas preces

O amor é mesmo assim
quando se cala mais se sente

Mas não é difícil reconhecer
por entre a gente
quem de amor
está doente

basta os olhos escutar
pois o olhar

nunca mente

Se eu for embora antes de ti
desta vida

desejo que tua lágrima
escorra por um rosto bem enrugadinho

e após uma vida longa e
cheia de boas memórias
construídas juntos

ela cruze
com um sorriso

ENRUGADINHO

O que tem de mais espetacular
em teu olhar

é que eu sei que teu coração
é tão bonito quanto os teus olhos

Consigo sentir teu olhar pulsar

tão quente
tão bonito

Não entregue nunca teu coração
a quem não possa senti-lo
em teus olhos

TINO

AMOR

Sim, eu te amo
mas nunca te disse isso

Palavras são efêmeras
o vento as leva

O amor não precisa ser verbal
são
ações
atitudes
gestos

Amor é carinho, mesmo que mudo

Se amar fosse sinônimo de falar,
haveria pouco amor na natureza
Mas, pelo contrário
É ali onde mais ele se expressa

Ele está no sol que entrega sua luz
pintando de verde as árvores,
que por sua vez
presenteiam os macacos
com saborosos frutos

Está na chuva que alimenta a vida

Está no lobo selvagem
que não dorme para
proteger a matilha

Não existe uma forma única
de amor
Não siga rótulos

Ame e se deixe amar
à sua maneira

SORRIA

Sorria

Ainda que essa noite
Pareça não haver
tantos motivos

Sorria
pois perante
o meu olhar
teu sorriso é
a criação
mais bonita
da natureza

ultrapassa
o relâmpago
e o céu negro
que precedem
a tempestade

Teu sorriso desafia
o próprio conceito de beleza

Sorria nem que seja
para encher de brilho
por uma noite

os meus olhos

TU

Tu não estás longe de mim
nunca estiveste, aliás

Estás em mim
Tu moras aqui
aqui dentro

És tu quem me acorda
e também quem me nina

Caminhas ao meu lado
de braços dados...
arrancas lágrimas
dos meus olhos
arrancas sorrisos
da minha boca

estás no meu pensamento
e nas minhas ações

És tu quem controlas minhas mãos

Nossas vidas se cruzaram naquele dia
ali eu nasci
tu entraste
nunca mais saíste

Tatuado em mim
tu estás
Não superficialmente na pele
mas internamente
na alma

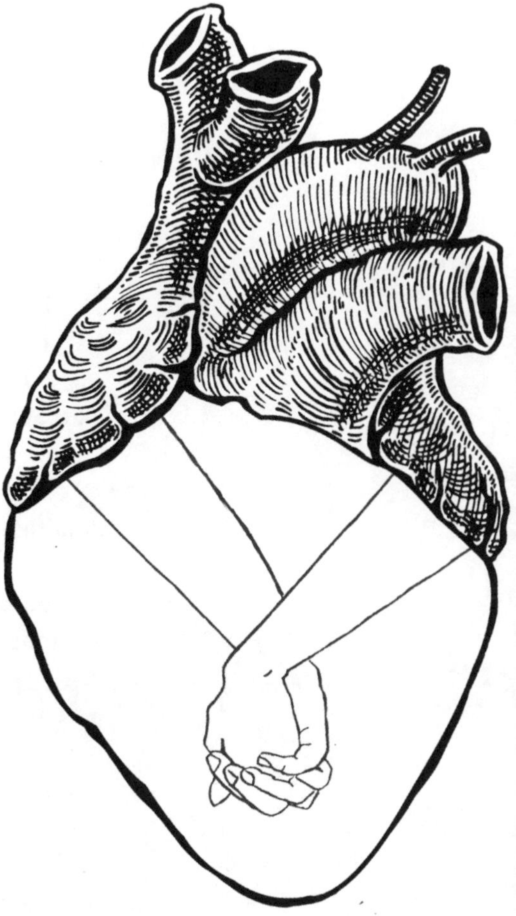

UNIDOS

Tanta coisa descobri dentro de mim
que nem imaginava
que existia

versos
e universos

Tu me ajudaste

viajamos juntos
através de palavras
e sentimento

Uma história tão bonita

Corpos possuem limites
mas almas, não
Então
estarei junto a ti

meu coração ficará aí
nos teus olhos

e carregarei o teu nos meus
para sempre

FALO POR MIM

Poesia é como olhar nos olhos
mesmo distante no espaço
ou tempo

O poeta eterniza o seu olhar

Quando leio poemas antigos
consigo ver os olhos do autor
sem a barreira dos séculos

por vezes até melhor
do que os olhos de quem está agora
ao meu lado

A poesia rasga
qualquer calendário

Mas o que o poeta vê
ao olhar um papel em branco
no exato segundo
em que começa a escrever?

Não falo por todos
falo por mim

O que vejo ali

são seus olhos

é você

DUNA

As palavras que saem dos meus lábios
um dia
sumirão

Qualquer resquício do meu olhar
sob dunas de areia
e mil camadas de poeira,

sumirá

O momento que vivi contigo
vai desaparecer

mesmo que por décadas
tenha na memória
encontrado abrigo

em mim ou em você

com o último suspiro
vai perecer

Se sobrar algo será lido
por novos e ingênuos olhos
em um futuro distante
e desconhecido

Ossos duram menos que versos

e quem sabe esses olhos
se emocionem e se molhem
ao serem tocados
pelo mesmo sentimento
que séculos antes
nutri por ti

A areia invadirá minha boca
calando minha garganta
mas duna nenhuma
enterra
uma poesia

SUBLIME

Ver-te dormir
desperta em mim
paz

Olhos fechados
respirar lento

Teu sonho é bom
pois em teu rosto
há contentamento

Se um pesadelo te assolar
ao acordar
aqui ao teu lado
tu me encontrarás

Nessa noite
procuram a lua
todos os amantes
da cidade

Eles não sabem que
na verdade

ela avistou
em meu quarto
tão lindo amor

que abandonou o céu
e arrumou um lugar
sob nosso cobertor

O QUE SERIA

O que seria o amor?

Ninguém sabe

mas ele tem cor
É a mistura dos olhos dos dois amantes

Tem sabor
um gosto intermediário
que vai do doce ao amargo

Tem cheiro
de perfume e suor dos corpos exaustos
e embriagados de si mesmos

Tem textura
que de tão macia, é firme
que tanto cura e machuca

Tem som de sussurros
e gritos,
súplicas e gemidos

É tão indefinido e preciso,
de tão infinito é mínimo

Está na vastidão do espaço sideral,
seguindo errante a cauda de um cometa

Cabe na fé dos missionários
no cérebro dos sábios
no espaço que separa, dos apaixonados,
os lábios

Ele sai do coração,
passa deste poeta pelas mãos
transmitido
em elétrica conexão
alcançando a tua visão

E, quem sabe, agora, após entrar,
caro leitor, pelo teu olhar,
vá em paz, repousar
em teu coração

Ah, o amor!

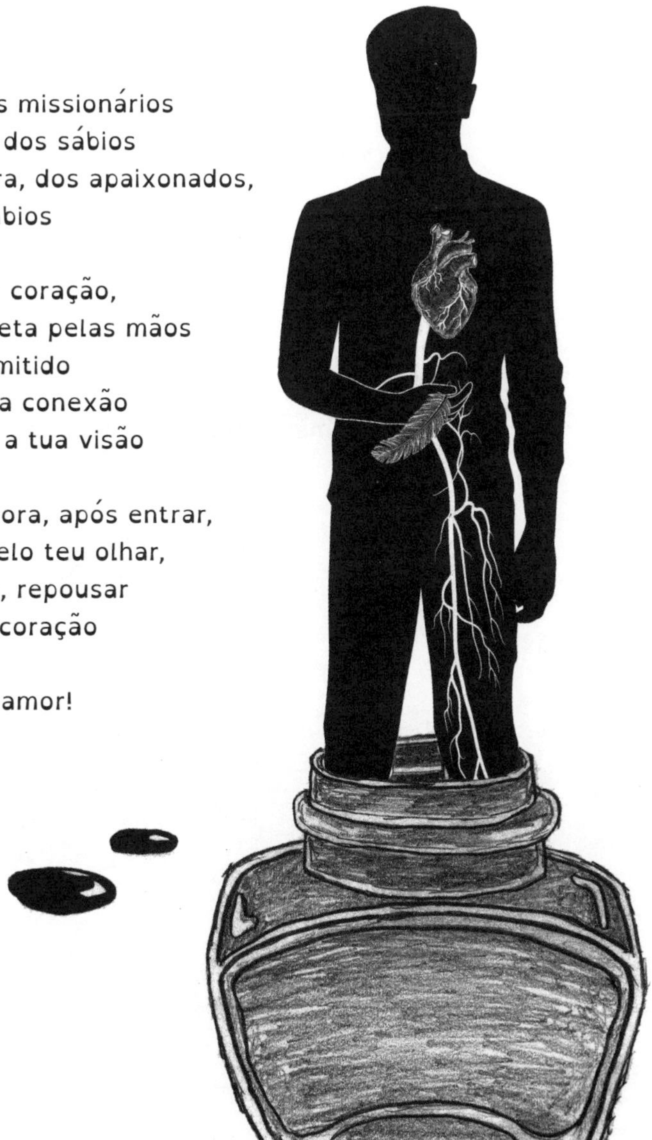

A MAIS LINDA

Nem sei há quanto tempo
te conheço

mas sempre que te vejo
te leio
como se lê
a mais linda
das poesias

de cima pra baixo
e
de baixo pra cima

PASSAGEM

Eu te amo tanto que já prevejo
que o dia mais triste da minha vida

será o da tua partida

O tempo parece-me tão traiçoeiro
gostaria que os limites do corpo
fossem como os do vento

mas não são

Só me resta no presente
construir boas memórias
compartilhar meus sonhos contigo

e aprender a valorizar dos teus olhos
o brilho

Quando no meu céu só houver estrelas
lembrarei que a tua passagem
por este planeta

foi rápida
mas preciosa e rara
como a de um
cometa

POR SI

Já passei por tanta coisa na vida
que cada vez mais
estou à flor da pele

O simples me emociona

talvez porque se conecte
com os melhores momentos que tive

talvez porque agora compreendo
que esses instantes são preciosos
por si só

Estar ao lado de quem amamos

Se o destino é virar cinzas
que eu arda em vida
junto a ti

A distância nem sempre faz mal
pode fazer um bem danado

Ela me dói na medida
de querer de volta
a tua companhia

Ensina-me que o amor
está onde eu for

desde que tu estejas
ao meu lado

MENTORA

Estou tão acostumada com teus olhos
teu cheiro
teu jeito

que qualquer mudança no teu rosto ou corpo
eu rejeitaria

Sinto-me bem
por saber que tu estás bem
e consigo ler em teu olhar o amor

Cuide de si mesmo
quando eu estiver longe

e quando eu estiver perto
que nossas almas
estejam desarmadas
E, apenas seja você mesmo,
por favor

ARMISTÍCIO

O Poeta

Poeta é quem toca
sem tocar

Chora sem lágrima
Sangra sem sangue

Arrancou com as mãos o coração
e colocou um pote de tinta
no lugar

REBOTO

Se a poesia te tocou
as palavras já estavam em ti
o poeta apenas te mostrou

ENCONTRAR-SE

FINGIDOR

Escrevo
porque o instante escrito
tira das minhas costas o peso
de ser detentor de palavras

Escrevo
porque o encontro
entre o lápis e o papel
alivia os desencontros
de uma vida

E se minha voz calou um dia
gritará em cada frase escrita

e encontrará
morada definitiva

no interior
de qualquer um que sinta
essa dor

A poesia está nos olhos do leitor
e não nas mãos de quem finge
ser possuidor

da capacidade de escrever
poesia

DEFEITO

Escrever poesia é tirar a roupa
Ficar completamente nu
Não qualquer nudez!
É a nudez profunda
da alma

Não dá para usar máscaras
nas palavras
Elas brotam sem filtros,
sem retoques,
pois quem grita
é sua essência

e uma vez pelado,
serei julgado

por você...

Eu posso até tentar mostrar
o melhor ângulo
um corpo esculpido e perfeito

em vão

A poesia mostra
todos os ângulos
Saltam minhas rugas
feridas
verrugas
gorduras
estrias
defeitos

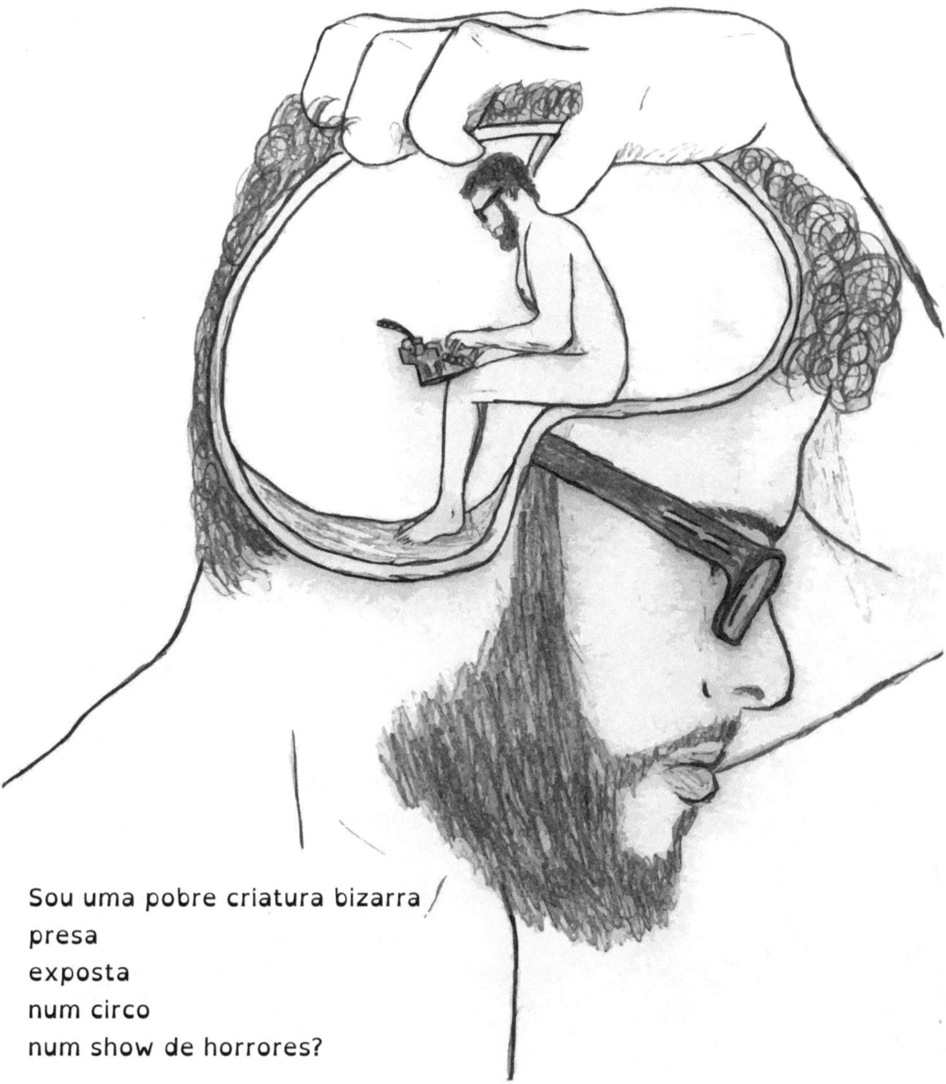

Sou uma pobre criatura bizarra
presa
exposta
num circo
num show de horrores?

Não

Sou um ser humano
imperfeito...

É justamente o seu olhar,
leitor,
que transforma
a minha fraqueza
em beleza...

DE QUEM FOI?

De quem foi essa ideia maldita
de transformar em vida
a poesia?

Poetas, vão para o inferno!
E não esqueçam
de levar seus versos

A realidade machuca
e não é pouco

Quem ousa amar abre no peito
uma ferida que não terá jeito

A arte é uma fantasia
que nos embriaga e anestesia
ou muitas vezes nos corta
aprofundando a ferida
mais ainda

ahh

mas como é linda

a poesia

INFANTE

Toda criança nasce
com os olhos no coração

Os adultos nos ensinam
a pôr os olhos no rosto
e enxergar com a razão

Quando nos apaixonamos
de rosto cegos nos tornamos
o peito volta a ser o senhor
da visão

Quando o amor vai embora
a dor torna-se senhora
rasgando sulco profundo
na ilusão

Poetas
mas que teimosos cês são

Enxergam o mundo
como infantes e amantes

com olhos cravados
eternamente
no coração

VESTÍGIOS

Você mergulhou na minha alma
e encontrou entre os destroços
vestígios de antigas palavras

Frases que nunca pronunciei
e ficaram gravadas em navios
que afundaram no amar revolto
do meu peito

Entre corais e animais marinhos
por trás de algas, os escritos.

Poeta não é um escritor

é (quem)
mergulha(na)dor

RECEITA PARA TOCAR UMA ALMA

Para tocar uma alma
é preciso esquecer das mãos

dedos não alcançam
onde se toca
o coração

as mãos podem até ser usadas
mas não diretamente

através do lápis ou caneta
(pois o toque é diferente)

quem escreve se despe
quem lê, vê o autor nu
sem rubor

e o coração, quando tocado, bate

no domicílio
do amor

Também dá para tocar uma alma
sem escrever, sim senhor

A fala sincera, uma canção
o brilho no olhar
também tocam profundamente
cada um à sua maneira
mas tenha certeza

o corpo não mais satisfaz
a quem já tocou
uma mente

cegos não precisam de luz
surdos escutam no silêncio
mudos falam sem palavras

mas, sem amor
um poeta não é nada

AUSÊNCIAS

"QUANTO É UM POEMA?"

Cara amiga

que pergunta difícil
Qual seria o custo de uma poesia?

Um momento de distração
um peito rasgado
um amor infinito
ou cem anos de solidão?

Minha poesia é barata

feita com um pedaço
da alma

Minha arma
força e fraqueza

é meu coração

PROPÓSITO

Escrevo

pois a palavra falada só vai
até onde o vento alcança

A escrita
até onde o tempo lança

Amor materno

CORDÃO

Meu filho

teu coração sempre
baterá dentro de mim

Não serão a distância
o tempo
os limites do corpo
ou da mente

que farão essa pulsação

sair do meu ventre

ZELO

Precisei de um grande susto
para entender

que a prioridade da minha vida
deveria ser

a tua companhia
teu olhar

Cuidar de mim
e assim

ser forte
para cuidar
de você

MÃE E FILHO

Não existe nada mais bonito
do que uma mãe cuidando de um filho

Seus olhos possuem um certo brilho
que a luz, muito além de um conceito físico,
se transforma em um encontro
singular e eclíptico

do calor do sol com a beleza da lua

Amor em sua forma nua

O amor materno é o mais doloroso

É doar para o mundo
uma parte arrancada
do próprio corpo

FATIA

NUVEM

Mães te abrigam
por nove meses
em seus ventres

Te amamentam
te ensinam
cuidam de ti

Choram quando
tu abandonas o ninho
(mesmo que tu não te recordes,
foi escondido)

Mães se curvam
pequeninas
os cabelos afinam
a pele enruga-se

a visão diminui
a audição diminui
a respiração diminui
mas o amor, não

E enfim, num belo dia,
mães se transformam
em uma nuvem no céu

Amor próprio

Em meu rosto
é possível ver
não um par de olhos
mas um olhar

O olhar carrega
a história
memórias

sentimentos
feridas
derrotas

mas também
a esperança, força
e palavras
de quem se orgulha
das vitórias

Lágrimas
acertos

possuo feridas
reconheço meus erros

Olhar de quem ama o mundo ama
a vida

e antes de tudo
ama a si próprio

Amo o mundo que existe em mim

O amor servil é perigoso e frágil

O amor completo é aquele que
transborda dos olhos
por ter crescido tanto
a ponto

de não caber mais em si

AMOR PRÓPRIO

SER MULHER

A sua beleza se mostra
na correria de quem exibe um sorriso
sem nem tempo ter tido
de pentear o cabelo,
caprichar na maquiagem

ou mesmo por vontade própria
chamar tudo isso de bobagem
e continuar sendo linda,
assim mesmo
bem à vontade

Uma força que se equilibra
na corda bamba da vida
aprendendo consigo mesma
que ser mulher não tem receita
cada uma à sua maneira
mas sempre juntas e unidas

na luta para serem ouvidas
rasgando as regras antigas
moldando um novo mundo
em conjunto
com base no diálogo
e respeito mútuo

liberdade para ser solteira,
casada, mãe ou amiga
trabalhar no próprio negócio
em casa ou na firma

ser namorada e/ou libertina

dona do seu corpo e alma

mudando conceitos
do que é
ser mulher

PROTEÇÃO

Tenho medo de você entrar em mim

porque todos que entram ficam um tempo
e vão embora

deixando-me em pedaços
no chão
do meu próprio peito

Coração alheio não é maquiagem

Não use por vaidade

ANFITEATRO

Nenhuma peça de teatro
dará certo sem ensaio

Nenhum livro fica pronto
sem mil rascunhos
no cesto de lixo
rasgados

A vida é uma obra de arte
que precisa de muito treino
Testes, provas e erros
fazem parte

Então
aprenda a lição
meu bem:

sem se amar antes
você não conseguirá
amar ninguém

amar a outro sem amar a si
é regar uma flor e esquecer

do resto do jardim

JARDINEIRO

MESMOS OLHOS

Ela continua com os mesmos olhos

O olhar não envelhece

mesmo que a pele carregue os sinais do tempo
e o coração todas as dores, despedidas
e sofrimento

Os olhos resistem

Quem vê esse brilho
não imagina quantos rios
de lágrimas
passaram ali

mas o oceano que ela descobriu dentro de si
quando estava sozinha
encarando o espelho
do banheiro

não secará

pois a pertence

MAIS NADA

Você está tão acostumado
com minha submissão

é impossível negar
em mim, a paixão

mas cada gesto de superioridade teu
cada abraço não dado
ou mensagem ignorada
provocam em mim
mudanças

É um processo longo,
doloroso e cheio de recaídas
mas aos poucos
vou reaprendendo a gostar de
mim
e da minha companhia

Se sou tão instintiva e exagerada
é porque é da minha natureza

procurar teus braços
de maneira desesperada
não é fraqueza

é reflexo da imensa força que há
em mim
e que no momento
está mal canalizada

Qualquer dia
sem nenhum aviso prévio
olharei para o espelho
e por esse sorriso sincero
estarei apaixonada

Nesse dia
tuas lágrimas
não adiantarão
de mais nada

RUÍNAS

Te amei tanto
que esqueci a alma
em canto
empoeirado
de um quarto
de hotel barato

Obcecada por qualquer
sinal de amor
em teu rosto
atirei meu coração aos lobos
que o devoraram
com gosto
uivando sete noites
nas ruínas
do meu corpo

E tu nem escutaste

Esgotada da tua vaidade
decidi partir

pois não há vontade
que dure à falta
de reciprocidade

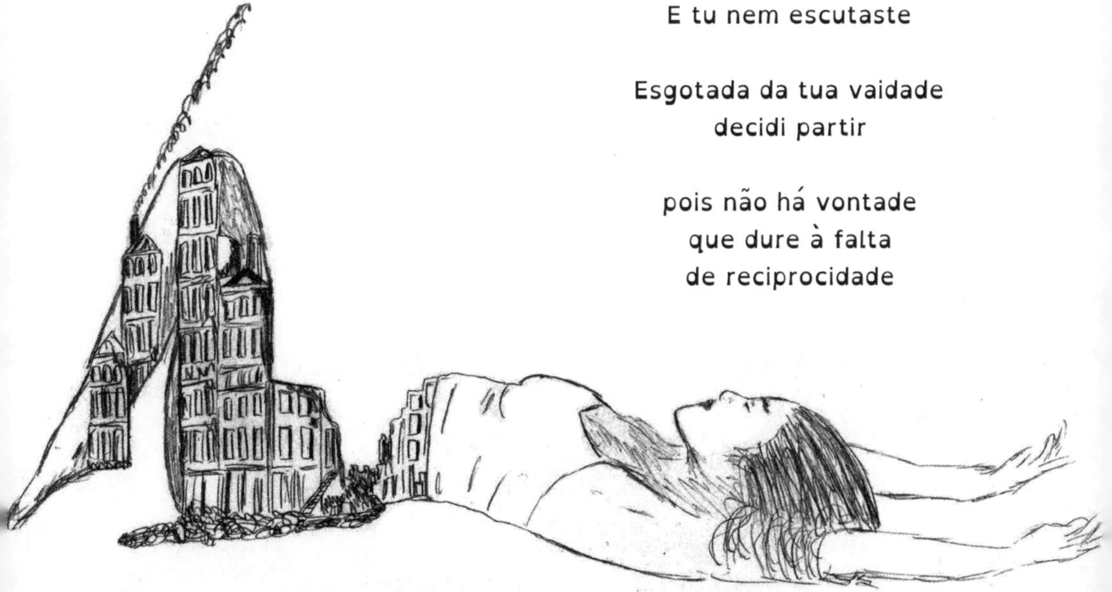

LIÇÃO

Obrigada pela palavra não dita
pelo carinho não feito
momento não vivido
Estou grata pelo beijo não dado
ficou no vácuo
grata pela verdade ocultada

Estou feliz pela gentileza
que faltou
pela carta não escrita
mensagem visualizada
e não respondida

Muito obrigada
pelo olhar que não rolou
afeto ausente
orgasmo não atingido
egoísmo, egocentrismo
enfim

Obrigada por tudo!
Até pela sua traição,
que foi, para mim,
só mais uma ferida

Tudo isso me fez aprender
o que eu preciso
e o que eu não quero para minha vida

Muito grata,
professor,
pela lição aprendida

Não é que não esteja te escutando

é que meu amor próprio
está falando mais alto

ele me diz que amar só uma pessoa
não é amor verdadeiro

devo amar duas

eu primeiro

AMOR PRÓPRIO II

CONSTRUÇÃO

Fiz do meu peito, escudo
da minha pele, cobertor

da minha alma,
essência

cria minha, eu sou

Completamente apaixonada
por cada centímetro
da minha pele

não sou minhas cicatrizes
mas elas foram fundamentais
na minha construção

O sorriso conquistado
é mais bonito

Reconheço meus erros
mas trago em meu rosto
todos os acertos

tenho orgulho deles

Fiz do meu amor próprio,
fortaleza

A GOTA

A tua indiferença foi apenas uma gota
mas o cálice em meu peito
até a borda tava cheio

Um golpe parece pouco
mas caiu o apoio
com a corda já no pescoço

Pode ser tempestade em copo d´água
mas era a gota que faltava
pra transbordar toda a mágoa
(e desse temporal
não verás nenhuma lágrima)

Esse dilúvio não é fragilidade
é que minha reconstrução é
muito intensa e profunda

Quando o processo terminar
o que em mim mais vai
te impressionar

é a força

Escrevi nosso amor
em meu coração

mas escrevi a lápis
por precaução

HORIZONTES

Todos os horizontes que vi
salvei em mim

trago no sorriso a leveza
das nuvens e da liberdade

Todas as lágrimas que caíram
vieram do mar

que carrego
no olhar

Essa leveza e essa profundidade
são um segredo
que busquei na linha que separa
o céu do oceano

Quando me encontro desesperada
o horizonte me lembra de que
essas lágrimas,
(antes aos outros
atribuídas)

são frutos, na verdade,
da profundidade
do meu sentir
e da minha vida

NIRVANA

Não sou apaixonado por mim, isso seria apenas narcisismo
Sou apaixonado por quem lutei para me transformar

Isso é amor próprio

COMPANHEIRO

Conheci meus defeitos com o amadurecer

Não tenho orgulho e nem vergonha deles
São parte fundamental do meu ser

Conheci minhas qualidades
Provar o meu valor?
Não vejo mais nenhuma necessidade

Depois que comecei a me amar
passei a ter a melhor companhia
em qualquer lugar

MULHERES

O essencial de uma flor
não está na cor ou formato

e nem mesmo no cheiro
que tanto agrada o olfato

Flores são incríveis pela capacidade
de reproduzir a vida

e as mulheres são flores
mas não por serem bonitas

e sim pela resistência do sorrir
mesmo após um longo inverno

e de insistir em florescer
criando o paraíso
em pleno deserto

ALAGAMENTO

Eu te amei
não por escolha

te amei
como quem transborda

Cuidei por muito tempo do meu jardim
cultivei com zelo
as flores dentro de mim

Uma lição aprendi com o tempo:
o amor próprio é o mais belo
dos sentimentos

Esse amor cresceu tanto no meu interior
que por fim transbordou
e te inundou

IMPERFEITO

Se cores e formatos te impressionam
está na hora de rever seu conceito

A verdadeira beleza mora na profundidade
e na coragem
de se exibir imperfeito

Ela se olhou no espelho
e sorriu

Estava
se apaixonando
por aquele sorriso

Disseram que era
egoísmo e narcisismo,
mas ela preferiu chamar
de amor próprio

ARQUÉTIPO

Dor

O poeta e a musa se separam

O melhor amigo do poeta vai embora

ANTES FOSSEM

Antes fossem lágrimas
o que escorre pelo meu rosto

São memórias
fotos rasgadas
fragmentos de cartas

Vestígios e pedaços
do seu sorriso

Antes fossem lágrimas
o que transborda
pelo meu olho

mas é amor
saliva e suor
súplica e desgosto

É grito não dado
amor adiado
nunca consumado

Antes fossem lágrimas

mas é você

— Ele me usou

— Só queria teu corpo?

— Pior que isso... Contei para ele
o que eu sentia

— E ele?

— Fez uma poesia

SERVENTIA

A RESPOSTA

É justamente o teu silêncio
que me assusta
Fala mais
do que as palavras

Eu te digo que te amo
e você
cala

Teus lábios não se movem

e não me encaras
por medo
de que eu leia
a resposta

em teus olhos

DESBOTADO

Te encaro
e não reconheço mais o amor
em teus olhos

Um sentimento tão lindo que transbordava
hoje só encontro
em fotos

Em que momento tu viraste um estranho?
O tempo traiu-me
e fez andar para trás o relógio

Agarro-me a ti
num abismo sem fim
me jogo

As fotos intactas
e eu por dentro rasgada
Esperança indo embora
pelos poros

Ainda estou ao teu lado mas é
justamente com essa proximidade
que não me conformo

A distância que mais dói
é a das almas

não a dos corpos

Você acha justo despertar em mim
algo que você já não é mais capaz
de sentir?

Que minha boca não seja
um oásis temporário
para o deserto
da sua vida

EFÊMERO

PELAS CICATRIZES

O espelho me revelou nua
e chorei

pelas cicatrizes
pelo tempo perdido

por tudo que me doei
por tudo que não fui
e não sou

Tu tens a capacidade
de girar meu mundo
ao contrário

o vento sopra
para o lado errado

as folhas voltam
para o calendário

Caio na armadilha
que tanto me machuca

tu és veneno

mas sempre
fico confusa

porque no teu frasco
está escrito: cura

O oceano carrega nas ondas
as mais salgadas águas
pois levou de meu rosto
lágrimas

A lua cheia é testemunha
do quanto já me atirei
a ilusões de amor
e lástimas

Escalei as montanhas do meu medo
com a alma cheia de dor
e o corpo cheio de feridas

ainda assim
entregarei-me a ti

despida

Mas meu corpo não é escultura
para a tua coleção

voe para longe
ou voe comigo

mas não me deixes acorrentada
na prisão
da tua indecisão

AREIA

Você sabia
que se transformou em um monstro
dentro de mim?

Não consigo ter pena de você

não era minha intenção te machucar
mas precisava te falar

não conseguiria dormir hoje
sem desabafar

Você não perguntou, eu sei,
nunca nem fez questão

Sou muito sensível

Estou atormentada
desde que li em teus olhos
tua real intenção

manipulador

Espero apenas que colha
absolutamente tudo

o que plantou

MANIPULADOR

Olha nos meus olhos
e repete
que eu não escrevo com alma

Olha nos meus olhos
e sinta o gosto amargo
das minhas palavras

em meus lábios
não está escrita
a minha história

Você só os conheceu
não minha trajetória

É fácil me agredir
mas se engana,
você não me conhece

Repete
outra vez
que escrevo por fama ou mulheres

mas não tire
nem por um segundo
os olhos
dos meus

Vai

repete

REPETE

voe comigo
ou devolva minhas asas

DIALETO

Quem não sabe ler meu olhar
não merece minhas palavras

Não entenderás meus lábios
se meus olhos
não te dizem nada

A CONTA

Quando a gente, por acaso,
se cruzar por aí
não se preocupe

olharei nos seus olhos
nos olhos dela
e irei sorrir

Afinal, com você
aprendi a ser atriz

Esconderei aqui dentro
meu grito, lágrimas
e sentimento

Não é diferente do que
nos últimos meses
tenho feito

Tu nunca saberás mas
se meu sorriso parecer perfeito

A conta quem paga

é o peito

DOR

A dor nos aproxima da nossa essência
nos faz reparar melhor no caminho
refletir sobre nossa origem
e destino

Ensina-me a ser grato à vida
a cada instante

Torna-me feliz apenas por ver
ouvir
e sentir

Não valoriza o início ou fim
e sim
o durante

Cada respirar é valioso e raro

nos detalhes vejo o amor

Quando dói
a lição é aprendida na carne
melhor do que mil palavras
de qualquer professor

De todas as sensações possíveis
de se sentir
a mais digna, humana,
e humanizadora

é a dor

Minha poesia não é um grito
é silêncio
não é uma festa
é lamento

estou colocando para fora
tudo o que vem
por anos
me corroendo por dentro

é preciso coragem
para ler

sentir o cheiro
de tanta podridão e mofo
aranhas, besouros
e desgosto

Olhos vermelhos na poesia
minha face é de espantalho
onde é clara a agonia

minha poesia
drenará, caro leitor,
toda a sua energia

Não sei o que te levou
a ler essas linhas

mas não estou aqui
para te ajudar

estou aqui
para pedir socorro

SOCORRO

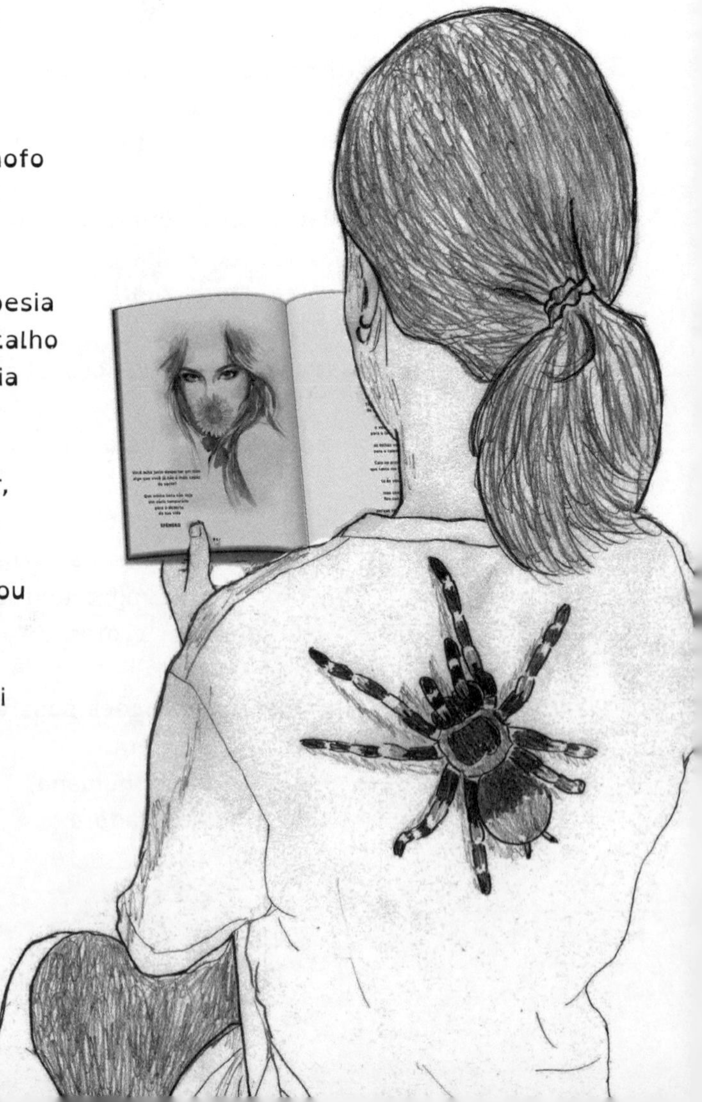

PARAÍSO

Eu olhei em seus olhos e perguntei:
Você já sofreu por amor?

Não

Imediatamente imaginei que aquele peito
era o lugar mais virgem, puro e raro
que havia no mundo

Esse paraíso não deveria ser destruído

pelo menos não por mim

Lancei um olhar de despedida
mas ela não entendeu

Apenas olhos sofridos poderiam ler
um adeus sem lágrimas

DÓI

Escrever poesia dói

Quem lê, sorri

não imaginando que o poeta chora
em um canto
por ter arrancado do peito

o melhor de si

NA PELE

Você tem minha alma inteira para tocar
mas insiste

na pele

DILACEROU

Confundo desconhecidos pela rua contigo

dura apenas segundos
mas Deus sabe
o quanto é dolorido

Escuto tua voz
sinto teu cheiro

vejo teus olhos na lua
esteja ela amarela, branca
com nuvens
ou nua

Tudo terminou
e não pude me despedir

se o fim doeu
o que dilacerou
foi a falta de um adeus

Você sabe a covardia
que é me encarar nos olhos

Você sabe que vejo no teu olhar
uma ponte para o meu próprio coração

Ainda assim tu me encaras

Com os olhos, arrancas
do meu rosto
a máscara

Completamente nu
sinto a brutalidade e crueza
de um sentimento

que parece querer romper a casca
e florescer na pedra

Meu coração de pedra

Você sabe muito bem a covardia
e me desarma

BÁRBARO

DUAS VEZES

A primeira vez que morri de amor
ninguém compareceu ao velório

fiquei horas sentindo frio
frio progressivo
percorrendo cada milímetro
dos ossos

sensação inédita
solitária
e dolorosamente infernal

A segunda vez que morri de amor
um amigo esteve o tempo todo
ao lado do caixão

mas não fez diferença

eu estava completamente morto

nem frio eu sentia
tamanha era a apatia
daquele corpo inerte

Não estava preparado

o fato de já ter morrido antes
não significa nada

o beijo da morte sempre é assustador
Não houve uma terceira
a segunda foi a última

Nunca mais voltei a viver

até existo
mas agora sou apenas versos

Morrerei mil vezes ao entrar
no leitor
e fazer renascer em cada um
a dor

Me transformei em poesia
mil vezes morrerei de amor
mas a morte não é mais a minha

é a tua, leitor

O MÉDICO E O POETA

Como médico
afasto-me de ti
mãos higienizadas
prescrevo lisador

Como poeta
pego tua mão
e deixo arder
em minha alma

tua dor

A INSPIRAÇÃO É

Quando se parte um coração
o vento leva este amor
em outra direção

e sussurra este segredo
no ouvido de um poeta

é assim
que uma poesia se completa

Teu amor não morre

é só teu coração
que se aquieta

LUTO

"Meu filho, o marido da sua tia faleceu hoje.
O velório será esta noite"

Não senti absolutamente nada

Engoli a seco
Tecnicamente era meu tio, mas eu tinha tão pouco contato
Tenho tantos tios, pensei

Tentava justificar para mim mesmo o fato de não ter sentido nada

Entrei em choque

Não pela notícia (se assim o fosse ficaria mais tranquilo),
entrei em choque pelo fato de não sentir nada

Como posso ter uma reação tão fria?
Em qual momento da vida meu coração virou pedra?
Não lembro
Foram tantos rasgos e lágrimas que já não sei

mas é inegável minha atual incapacidade de sentir

Entrei em luto

Não por esse senhor,
mas pelo falecimento do meu eu
que era tão sensível

um luto estranho, talvez tardio,
mas como falei
não lembro do exato momento
em que meu coração morreu

EXTRAVIO

Eu escrevi a poesia
escrevi e não te mostrei

tu nunca saberás que foi
minha musa

os versos circularão por aí
quem sabe até
sirvam de pano de fundo
para casais apaixonados

quem sabe teu namorado
leia para ti

e receba em troca
um beijo

sem imaginar
que era para mim

Eu te transformei em uma poesia
para não encarar teus olhos
nas esquinas

para não escutar tua voz
em qualquer música

para não sentir toda hora teu cheiro

eu te transformei em uma poesia
porque saudade
sem arte

é desespero

PERSEU E MEDUSA

Eu te assusto

mas perante a tua fuga
não me calo

Tu sabes que em meus olhos
teu coração queima

Tu temes me sentir
me tocar

Tu temes encarar
teu próprio sentimento
em meu olhar

FAROL

NÃO CONSIGO

Você acha que sou forte
não sou

Não consigo me entregar

isso não é bom
tenho medo

Preciso amar alguém
quero amar

mas eu não consigo

Armadura não é força
força é um peito nu
força é um coração que salta
do abismo
eu queria voar
mas me encolho

as pessoas vão embora
eu me odeio

É impossível parar os ponteiros
que roubam-me da vida os segundos

É impossível voltar ao útero

Estou tremendo
calma

tenho medo

Muros não nos protegem
de nós mesmos

meu fantasma
está aqui dentro

LEMBRANÇA

Apesar da tristeza
ela fez um esforço
e sorriu

pois queria que eu guardasse
como uma última lembrança dela
um sorriso, não uma lágrima

conseguiu

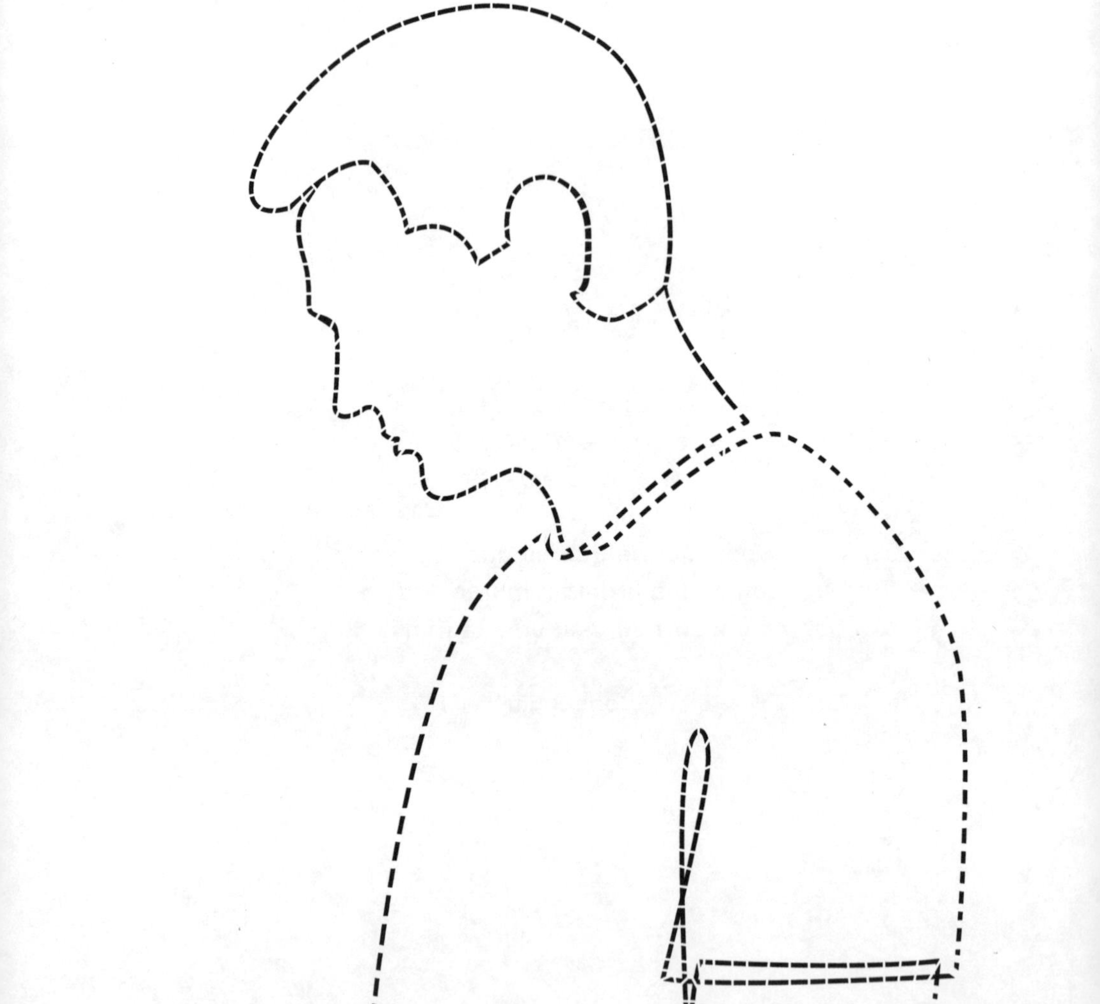

Saudade

O AMANHÃ

Amanhã faço
amanhã assino
amanhã carimbo
amanhã pago

Eu te amo, mas amanhã falo
desculpa-me, mas amanhã peço
eu te perdoo, mas amanhã confesso

O amanhã finalmente chegou
vestia roupas escuras e bateu à minha porta às três da madrugada

Isso são horas?

Sim, vim cobrar minha dívida
Quem é você?

O amanhã, vim te levar

Você é a morte?

Ah, meu caro,
que palavra forte
prefiro "o amanhã"

Mas já? Não é possível

Ué, você passou o tempo todo me chamando
Ignorou a presença do hoje
Acho que até demorei muito

O ponteiro do relógio parou

Essa lágrima não é apenas
porque tu foste embora
é porque o meu "eu te amo"
nunca saiu

Sonho agora
com a memória
de um momento

que nunca existiu

GAIOLA

AQUELE DIA

Depois daquele dia
toda dificuldade é simples

toda queda é pequena
toda frustração é bobagem

dores novas são leves
e novas feridas
pouco ardem

Depois daquele dia
o amor se revela
nos pequenos detalhes

cicatriz é troféu e brigas
não valem o desgaste

Lágrimas regaram sorrisos
que, se não são tão comuns
quanto eu gostaria,

até em suas raridades
vejo beleza e vantagem

Depois do dia
em que te perdi

a vida se coloriu
em tons
de saudade

SEM PIEDADE

O prenúncio do ataque
é a palavra saudade

A natureza me agride
sem dó nem piedade

O sol se eclipsa
o amargo rasga a garganta
o vento me apunhala com teu
cheiro

Sou inundado pelo repentino
transbordar
da represa de sentimentos
do meu peito

Desesperado, tento subir
para respirar

mas a memória dos teus olhos
me puxa para o fundo do oceano
das palavras nunca ditas
e que nunca mais
poderei

te falar

ÁLBUM

Hoje nossas memórias passaram
pela minha mente
como um álbum de fotos

Vi uma por uma
após baixar o volume do mundo
e fechar os olhos

Se alguém estivesse me vendo,
não entenderia,
pois ora ameaçava uma lágrima
ora
eu sorria

Salvei cada momento
no peito com o nome saudade

é o que tenho de mais bonito em mim
e continuará assim
por toda eternidade

Aprendi
com a saudade que sinto de ti

a observar a vida
através das lágrimas

a sorrir
mesmo apunhalado
por memórias

Tua ausência
te fez tão presente
em meu pensamento

por vezes
sinto-me perdido
no labirinto do meu peito
procurando por palavras que possam
expressar o que sinto

Todo canto vazio
tem você

HIATO

CORRENTE

Posso ver teus olhos
escutar tua voz
mas não consigo te fazer me sentir

Escrevo versos na água

Quanto mais curvas faz o rio
mais meu sentimento por ti
se embaralha

Estou preso como um enfermo
restrito à cama e à própria mente

Sinto com toda a força e intensidade
mas não posso gritar

Nenhum som se consente

Condenado a apenas sentir estou

ontem, hoje
e eternamente

Tem um cantinho dentro de mim
que é o meu favorito

é onde me encontro contigo

às vezes fecho os olhos
e viajo para lá de propósito

às vezes sou arremessado
violentamente pela saudade

e mesmo de olhos abertos
tua memória me invade

Visão turva
respiração ofegante

sem chance de fuga
torna-se um canto

torturante

BANZO

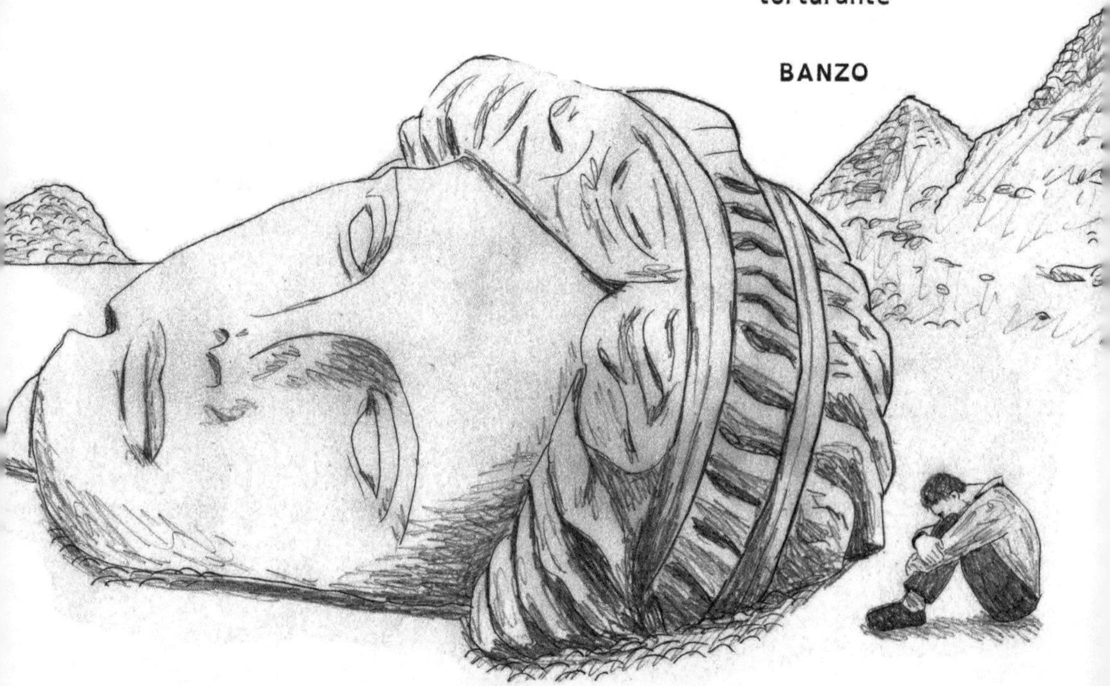

SAUDADE INVERSA

Não sei se posso chamar
de saudade

meu sentimento
é por uma memória
que nem sequer vivi

tenho saudade do teu abraço
meu amor

do teu beijo
de andarmos de mãos dadas
na praia
e as espumas do mar
a nos acariciar

Tenho saudade de tanta coisa
que nunca aconteceu

não consigo esse mistério
explicar

Se um dia tu vieres
e realizarmos todas essas memórias
criadas

a lógica do tempo se inverterá

Não estranhe
se uma lágrima pelo meu rosto
escorrer

a emoção de um momento viver
depois de já ter sentido
saudade dele
será impossível mesmo

entender

DE FUNDO

O tempo passa

Tua lembrança
é como aquela canção
que toca no rádio

Alguém diminui
o volume devagarinho
fica bem baixinho
(de fundo)

mas nunca silencia

Nossos momentos brilham
como estrelas
Fecho os olhos e visito
constelações inteiras

ASTRONAUTA

A VIAGEM

A gente não nasce
sabendo o significado
da palavra saudade

Não é difícil entender
as outras palavras
mas essa em especial
nenhum professor ou dicionário
te ensina

Podemos até viver décadas
achando que é delicada
e bonita

mas um dia
ela entra em seu peito
de uma forma
nenhum pouco pacífica

rasgando a pele
e penetrando na profundidade

fazendo parecer que a pior dor
que você já sentiu foi apenas
uma bobagem

A saudade é um tipo de tortura
que faz a gente repensar
se a vida vale mesmo

a viagem

POR TI

Quando eu te encontrar
você me reconhecerá?

Talvez pelo olhar

olhos são resistentes ao tempo

Eu não sou mais o mesmo
porém ainda penso em ti

Toda despedida
nos deixa a dor
como companhia

mas pouco a pouco
tua memória vai me fazendo sorrir
ainda que devagarinho

Só agora entendo
como se chama
esse sentimento

que alterna lágrimas e sorrisos
ou até ambos
ao mesmo tempo

Saudade

A grande ironia da vida

é que na primeira metade
você sonha em ter o que não tem

na segunda,
em ter de volta o que tinha

LOGRO

SILÊNCIO

Silêncio
meu velho companheiro

as palavras vem e vão
mas tu, não

Nunca me abandonaste

e quando fecho os olhos
de saudade
tu me invades

arrasta-me com a força
de violentas marés
assusta-me, trovão
levanta-me do chão
tufão

O coração pulsa
o peito expulsa o ar
a maré baixa

Abro os olhos
tu ainda estás aqui
para me recordar

de que antes de eu nascer
estava nos teus braços

e quando for o momento
para teus braços
voltarei

A vida é só um barulho
que tenta o silêncio

interromper

A SAUDADE É

A saudade é a mãe
de todo o sentir

é amor que não pode ser mais

grito não dado
e que nunca mais ecoará

é o silêncio que bate na porta da frente
encara-me sem constrangimento
esfrega o passado na cara
embaralha todas as cartas

sufocamento que não alivia
mesmo com todos os ares da atmosfera enfiados no peito

é teu nome murmurado baixinho
que bate nos lábios
e volta para dentro

Saudade é de todos os
sentimentos
o mais intenso

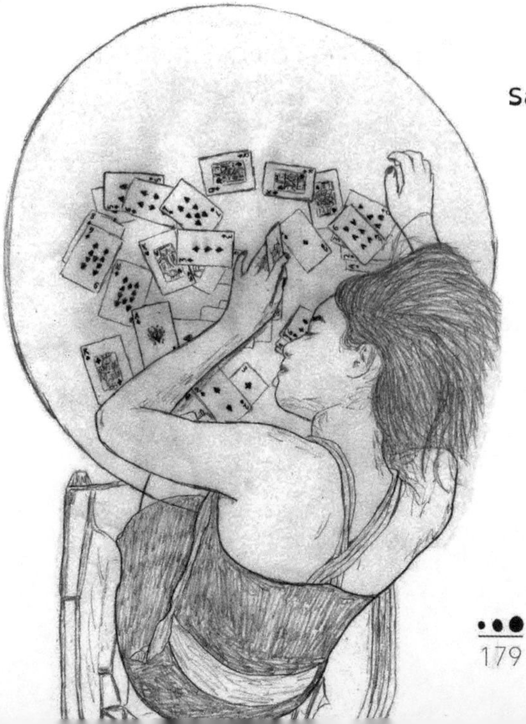

EU TIVE

É difícil explicar esse sentimento
mas a saudade
transformou-se no pior
dos tormentos

Por um lado agradeço
por ter tido você na minha vida

mas ter esses momentos presos
na memória dói muito
como uma eterna e congelada
despedida

Nunca consigo te tocar

apenas em pensamento
mas é diferente

Sinto-me culpado
por não ter mais a tua companhia
aproveitado

como se a vida tivesse dado um presente
a quem nem fez nada por merecer
e ainda por cima
não usufruiu completamente

Tantas pessoas no mundo não tiveram
esse privilégio

eu tive

Gastei a maior parte do tempo
ambicionando o que não tinha

e a vida levou
o que de mais precioso havia

A palavra gratidão
passou a fazer sentido

mas infelizmente só aprendi
depois de ter
te perdido

COMBATE

Não há defesa
contra o golpe
que vem de dentro

a saudade é o pior
entre os piores
dos sentimentos

Minha memória
que contra eu mesmo
se volta

como se meus olhos
encarassem meus próprios olhos

Peço clemência
mas a espada me perfura

a pele intacta
mas pele
é só
uma armadura

combate
em que não vejo o inimigo

Caio de joelhos
sangrando

um sangue invisível
e exatamente por não se ver

nunca estanca ou cicatriza
a ferida
de não ter você

Quem diz que essa dor passa
deve ter sentido outra coisa

e por inexperiência
ou ingenuidade

achou que estava
sentindo
saudade

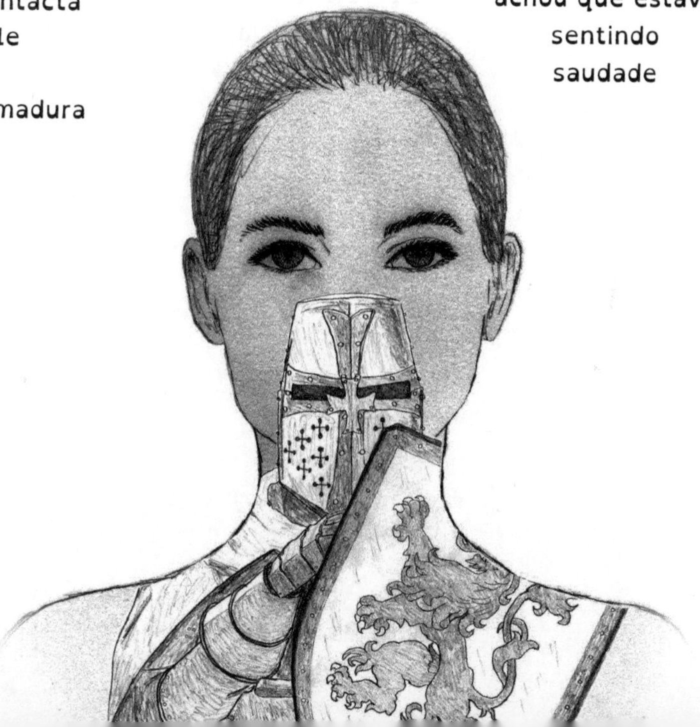

É TEU

Fui embora

não por mim ou por você

por nós

Mas eu queria te dizer
que antes de partir
coloquei o brilho dos teus olhos
dentro de mim

e nos momentos mais emocionantes
desde então
o olhar denuncia
o que a boca silencia

o que ninguém sabe
é que esse brilho

é teu

DESAFIO

Logo cedinho
o sol me desafia
o espelho me desafia
a memória me desafia

a encarar mais um dia
sem teus olhos, meu pai

e fazer dessa ausência
minha rotina
para o resto da vida

Tu estarias orgulhoso de mim
caso estivesse aqui

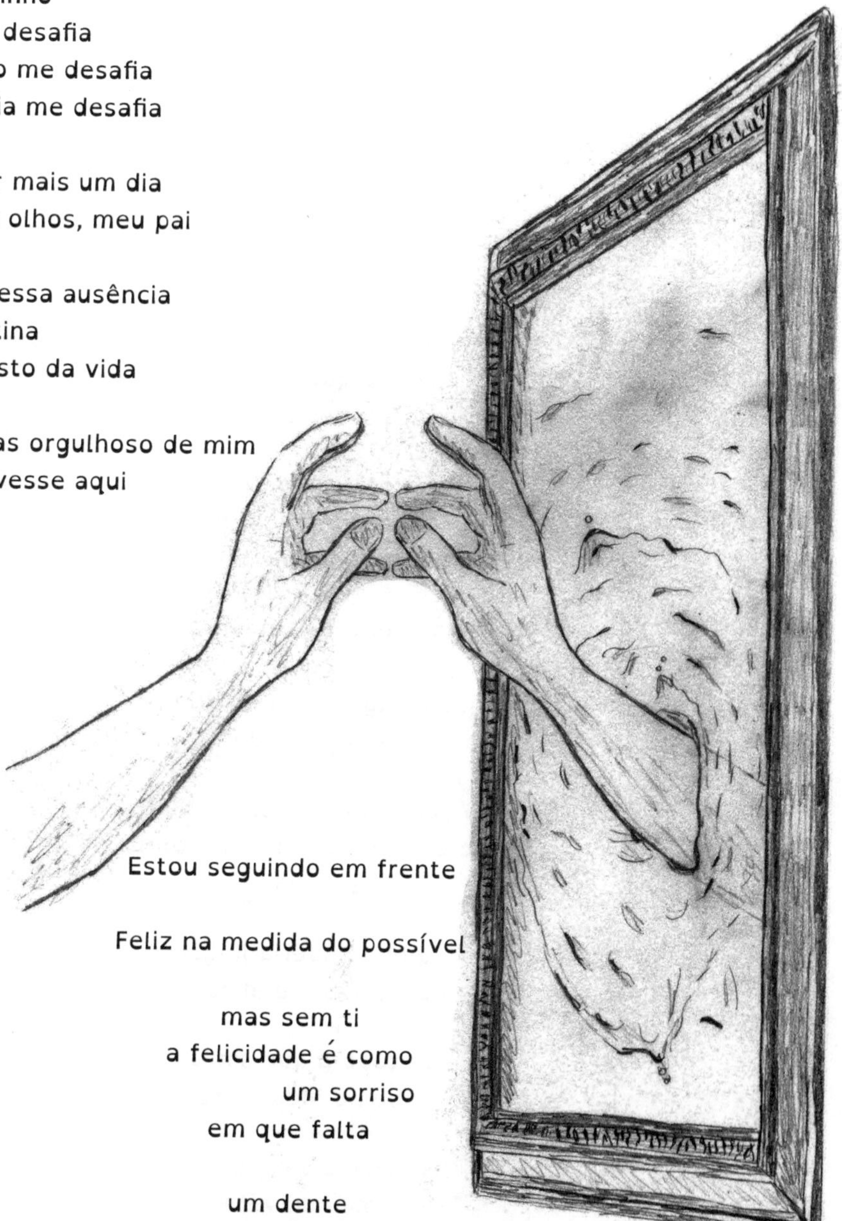

Estou seguindo em frente

Feliz na medida do possível

mas sem ti
a felicidade é como
um sorriso
em que falta

um dente

MEU CÉU

Imerso
em pensamentos
que me levam ao inferno

Entre a vida imaginada
sonhada
e a vivida

não sei qual é a real
e qual é
poesia

Entre as memórias dos
nossos momentos
e o que vivemos de fato

não sei o que inventei
e o que
por mais alguém, além de mim,
foi registrado

Sigo abrindo mão das verdades
Sigo costurando minha própria
realidade

E quem poderia julgar
ou pedras me atirar?

Se tudo o que sinto
cabe no meu peito

tenho direito
ao meu universo
particular

DESPEDIDA

Eu me despeço de você
quando vou dormir

quando não seguro as lágrimas
e, principalmente, ao sorrir

Eu me despeço de você
quando vejo nossas memórias
ou até outras pessoas felizes

Eu me despeço de você
quando toca tua canção
favorita

e que aprendi a gostar mais do que tudo
pois, tua voz, escuto
e imagino teus lábios se abrindo
devagarinho

Talvez seja porque não pude
te dizer adeus

Talvez seja porque meu sentimento por ti,
apesar da distância e do tempo,
cresceu

Me despeço de você
até quando começa um novo dia

Saudade é a despedida
que nunca
termina

ALÉM

Você partiu em um navio carregado
por um horizonte avermelhado

Tenho alimentado, escrito e amado

alimentado com lágrimas o mar
escrito porque é minha maneira de amar
amado porque é minha maneira de viver

A saudade veio hoje cedo me visitar
e trouxe teu cheiro com o amanhecer

Saudade que ora me faz chorar
ora me faz rir
mas o aroma de inebriar
é impossível de confundir

O cheiro é sempre teu

O sol viola a neblina
com seus primeiros raios

do presente abstraio
para ver você volto ao passado

Espero que você tenha recebido e entendido
o meu amor
que se por muitas vezes não traduzi em palavras
esteve em todos olhares escrito

Agora que tu foste embora
enviá-lo não é mais possível

pelo menos até onde eu sei

Quem sabe um dia
quando o corpo se esvair
sob a forma de essência
conseguirei

Te carrego nos olhos
às vezes no peito
às vezes
na memória

Você não pesa
pelo contrário

É como um par de asas
nas minhas costas

LEVEZA

PRECISÃO

Olhar no olho
é estar disposto
a ler as imperfeições do outro

Todos somos imperfeitos
e pelo menos por um momento
o humano que há em mim
toca o que há de mais humano em ti

sem filtro, maquiagem
ou julgamento

Mas nunca olhe no olho um poeta

ele decifrará com precisão
a tua alma
mesmo que até então
tu a julgasse secreta

Esteja onde estiver, meu amor,
conserve memórias minhas em teu olhar
guarda-me em teu peito

pois ainda te tenho cá comigo
e quando eu me libertar
do plano terreno

ao teu encontro
vou

DENTE-DE-LEÃO

INDEFINIDAMENTE

Não foi na pele
o teu toque
foi na alma

por isso estou para sempre
marcada

A pele
casa das sensações
e vaidades
transformou-se em um mero detalhe

coisa que já deveria ter sido,
desde o início

Tu me ajudaste a enxergar a essência
do meu próprio ser

mudei

Mesmo que meu corpo
pertença a outro

para sempre
tua serei

ainda que tu estejas longe
dos meus olhos e mãos

meu olhar
indefinidamente será
na tua direção

se podemos ver a mesma lua
podemos nos tocar

distância só separa
quando o sentimento
não consegue alcançar

CÁRCERE

A realidade é que
longe dos teus olhos
nunca me senti à vontade

Como um corpo que vaga
e de vazio
se embriaga

sabendo que a alma
em teu olhar
ficou aprisionada

REMANESCENTE

Você não está mais aqui

já escorreram mais lágrimas em meu rosto
do que eu imaginava
que pudessem existir

Gostaria de ter feito diferente

de ter expressado
com ações ou palavras
meu amor mais claramente

Isso não é possível
não posso mais cuidar de ti

então o que me resta
é cuidar bem de mim mesmo

pois se sobrou algo teu
neste planeta

está em mim

DUAS

Aprendi que para te encontrar
não adianta ir para os lugares
onde costumávamos ir juntos

Construímos memórias neles
mas elas não estão ali guardadas

Eu preciso apenas fechar os olhos

nossos momentos
ficaram em mim

existe aqui dentro um espaço
para cada detalhe teu

o sorriso
o olhar
o cheiro
teu jeito manso de falar

Eu cresci contigo
lidar com a tua partida
não foi fácil

o sentimento que ficou
às vezes se mostra mais pesado
do que eu consigo carregar
e escorre pelo rosto

mas apesar de toda dor
sinto a vida pulsar mais forte

é como se eu te carregasse comigo
pelo meu caminho

Tornei-me duas pessoas

NENHUMA

Sou feito de ti

Quando nos conhecemos
eu era tão pequenino, incompleto

uma folha de papel em branco

Aprendi a andar com as tuas mãos
aprendi a ver o mundo pelos teus olhos

Muito mais do que te admirar ou imitar
fiz do teu corpo, o meu

Agora tu foste embora
e eu não pude dizer adeus

me despedacei

Em um turbilhão insano
de contraditórios sentimentos
fui obrigado a me despedir
não apenas de você, mas de mim

ou pelo menos do que eu era
até ali

Você partiu mas ficou
eu fiquei mas parti

deixei de ser
eu

COSTURA

Agradeço a piedade
e a vontade de ajudar
um doente de saudade

mas dispenso a caridade

Dores terei
até o fim da vida
pois tá escrito
em alguma estrela
é a sina

Tentarei ser criatura
com um pouco de brandura
quando o olho permitir
no rosto
haver secura

Mas saudade não se cura
apenas se mistura
com uma dose de bravura

Um dia, o sorriso segura

no outro
choro de amargura

mas a vida continua
enquanto houver linha
o coração
se costura

TUA AUSÊNCIA

A tua ausência tem cheiro
tem voz
toca-me todos os dias
me arrepia

A tua ausência é mais presente
que todas as presenças

é a felicidade na forma de memória
que me encara nos olhos

e sem piedade
me corta

COVARDE

O poeta é um covarde

tem tanto medo
do seu rosto molhar

que usa o olho do leitor
para chorar

Eu não morri ao te perder
mas a saudade faz escorrer
uma gota de vida
por dia

MOINHO DE TEMPO

O QUE FICA

Para onde irá o amor
quando eu te olhar nos olhos
e houver vazio no teu interior?

Para onde vai a vida
quando do peito o ar
não encontrar mais saída?

Para onde vai a palavra
nunca dita?

A poesia
não escrita?

Tento murmurar teu nome
mas meus lábios não se abrem
Só o eco responde

O esfriar do beijo
o apagar da chama pelo vento
toda paixão em vão?

O que fica
é o silêncio que eternamente grita
a última batida
do coração

Desde que tu foste embora
a saudade não é mais
apenas uma palavra

ela fala

muda de forma

vira lugar
sentimento
canção

Está impregnada em mim
como se fosse possível
ser invadida para sempre
por um cheiro
lembrança
ou foto

Gargalha
me apedreja
me afaga

A saudade é teu rosto
em branco
Só vejo o contorno

Tento te tocar
mas minha mão
cai em um vazio

VAZIO

SE

Se eu soubesse
que era último beijo
deixaria meus lábios
no teu rosto
por muito mais tempo

Se eu soubesse
que nunca mais te abraçaria
ficaria ali
colada
não te largaria

Se eu soubesse
que nunca mais te veria
olharia produndamente nos teus
olhos
até impregnar tua alma
na retina

Mas

acontece

que eu não
sabia

Este livro foi publicado em julho de 2019 pela Companhia Editora Nacional. CTP, impressão e acabamento pela gráfica Impress.